Droste-Hülshoff
Gedichte

Annette von Droste-Hülshoff
Gedichte

Herausgegeben von
Bernd Kortländer

Philipp Reclam jun. Stuttgart

Umschlagabbildung:
Annette von Droste-Hülshoff
Bleistiftzeichnung von Franz Nadorp, 1829

Universal-Bibliothek Nr. 18292

Gesamtherstellung: Reclam, Ditzingen. Printed in Germany 2003
RECLAM und UNIVERSAL-BIBLIOTHEK sind eingetragene Marken
der Philipp Reclam jun. GmbH & Co., Stuttgart
ISBN 3-15-018292-1

www.reclam.de

Inhalt

Aus der Ausgabe der *Gedichte* von 1844

Zeitbilder

Vor vierzig Jahren 11
An die Weltverbesserer 13
Die Schulen 14

Heidebilder

Die Lerche 16
Die Jagd 18
Die Vogelhütte 22
Der Weiher 27
Der Hünenstein 30
Die Steppe 32
Die Mergelgrube 33
Die Krähen 37
Das Hirtenfeuer 42
Der Heidemann 45
Das Haus in der Heide 47
Der Knabe im Moor 49

Fels, Wald und See

Am Turme 51
Das öde Haus 52
Im Moose 54
Am Bodensee 56
Das alte Schloss 58

Gedichte vermischten Inhalts

Mein Beruf 60
An *** 62
Die Taxuswand 63
Die Unbesungenen 65
Das Spiegelbild 65

Balladen

Der Tod des Erzbischofs Engelbert
von Cöln 67
Der Fundator 72
Vorgeschichte (Second sight) 76
Der Graue 80
Das Fräulein von Rodenschild 87
Die Schwestern 90
Die Vergeltung 97
Der Schlosself 101

Gedichte in Einzelveröffentlichungen

Spätes Erwachen 107
Lebt wohl 109
Grüße 110
Im Grase 111
Durchwachte Nacht 113
Mondesaufgang 116
Gemüt 117

Gedichte aus dem Nachlass

Einzelgedichte

Zum Abdruck vorgesehene Gedichte

Der Dichter – Dichters Glück 123
Halt fest! 125
An einen Freund 126

Nicht zum Abdruck vorgesehene Gedichte

[Wie sind meine Finger so grün] 129
[Du, der ein Blatt von dieser schwachen Hand] 130
[Das Wort] 130

Aus dem Zyklus *Das geistliche Jahr in Liedern auf alle Sonn- und Festtage*

Am ersten Sonntage nach h. drei Könige 132
Am fünften Sonntage in der Fasten 134
Am dritten Sonntage nach Ostern 136
Am Pfingstmontage 138
Am sechsundzwanzigsten Sonntage nach Pfingsten 140
Am letzten Tage des Jahres (Silvester) . . . 142

Anhang

Zu dieser Ausgabe 147
Kommentar 153
Nachwort 191
Zeittafel 205
Verzeichnis der Gedichtüberschriften und -anfänge 209

Aus der Ausgabe der *Gedichte* von 1844

Zeitbilder

Vor vierzig Jahren

Da gab es doch ein Sehnen,
Ein Hoffen und ein Glühn,
Als noch der Mond »durch Tränen
In Fliederlauben« schien,
Als man dem »milden Sterne« 5
Gesellte was da lieb,
Und »Lieder in die Ferne«
Auf sieben Meilen schrieb!

Ob dürftig das Erkennen,
Der Dichtung Flamme schwach, 10
Nur tief und tiefer brennen
Verdeckte Gluten nach.
Da lachte nicht der leere,
Der übersatte Spott,
Man baute die Altäre 15
Dem unbekannten Gott.

Und drüber man den Brodem
Des liebsten Weihrauchs trug,
Lebend'gen Herzens Odem,
Das frisch und kräftig schlug, 20
Das schamhaft, wie im Tode,
In Traumes Wundersarg
Noch der Begeistrung Ode
Der Lieb' Ekloge barg.

Wir höhnen oft und lachen 25
Der kaum vergangnen Zeit,

Und in der Wüste machen
Wie Strauße wir uns breit.
Ist Wissen denn Besitzen?
Ist denn Genießen Glück? 30
Auch Eises Gletscher blitzen
Und Basiliskenblick.

Ihr Greise, die gesunken
Wie Kinder in die Gruft,
Im letzten Hauche trunken 35
Von Lieb' und Ätherduft,
Ihr habt am Lebensbaume
Die reinste Frucht gepflegt,
In karger Spannen Raume
Ein Eden euch gehegt. 40

Nun aber sind die Zeiten,
Die überwerten, da,
Wo offen alle Weiten,
Und jede Ferne nah.
Wir wühlen in den Schätzen, 45
Wir schmettern in den Kampf,
Windsbräuten gleich versetzen
Uns Geistesflug und Dampf.

Mit unsres Spottes Gerten
Zerhaun wir was nicht Stahl, 50
Und wie Morganas Gärten
Zerrinnt das Ideal;
Was wir daheim gelassen
Das wird uns arm und klein,
Was Fremdes wir erfassen 55
Wird in der Hand zu Stein.

Es wogt von End' zu Ende,
Es grüßt im Fluge her,

Wir reichen unsre Hände,
– Sie bleiben kalt und leer. – 60
Nichts liebend, achtend Wen'ge
Wird Herz und Wange bleich,
Und bettelhafte Kön'ge
Stehn wir im Steppenreich.

An die Weltverbesserer

Pochest du an – poch nicht zu laut,
Eh du geprüft des Nachhalls Dauer.
Drückst du die Hand – drück nicht zu traut,
Eh du gefragt des Herzens Schauer.
Wirfst du den Stein – bedenke wohl, 5
Wie weit ihn deine Hand wird treiben.
Oft schreckt ein Echo, dumpf und hohl,
Reicht goldne Hand dir den Obol,
Oft trifft ein Wurf des Nachbars Scheiben.

Höhlen gibt es am Meeresstrand, 10
Gewalt'ge Stalaktitendome,
Wo bläulich zuckt der Fackeln Brand,
Und Kähne gleiten wie Phantome.
Das Ruder schläft, der Schiffer legt
Die Hand dir angstvoll auf die Lippe, 15
Ein Räuspern nur, ein Fuß geregt,
Und donnernd überm Haupte schlägt
Zusammen dir die Riesenklippe.

Und Hände gibts im Orient,
Wie Schwäne weiß, mit blauen Malen, 20
In denen zwiefach Feuer brennt,
Als gelt' es Liebesglut zu zahlen;
Ein leichter Tau hat sie genässt,

Ein leises Zittern sie umflogen,
Sie fassen krampfhaft, drücken fest – 25
Hinweg, hinweg! du hast die Pest
In deine Poren eingesogen!

Auch hat ein Dämon einst gesandt
Den gift'gen Pfeil zum Himmelsbogen;
Dort rührt ihn eines Gottes Hand, 30
Nun starrt er in den Ätherwogen.
Und lässt der Zauber nach, dann wird
Er niederprallen mit Geschmetter,
Dass das Gebirg' in Scherben klirrt,
Und durch der Erde Adern irrt 35
Fortan das Gift der Höllengötter.

Drum poche sacht, du weißt es nicht
Was dir mag überm Haupte schwanken;
Drum drücke sacht, der Augen Licht
Wohl siehst du, doch nicht der Gedanken. 40
Wirf nicht den Stein zu jener Höh'
Wo dir gestaltlos Form und Wege,
Und schnelltest du ihn einmal je,
So fall auf deine Knie und fleh,
Dass ihn ein Gott berühren möge. 45

Die Schulen

Kennst du den Saal? ich schleiche sacht vorbei,
»Der alte Teufel tot, die Götter neu« –
Und was man Großes sonst darin mag hören.
Wie üppig wogend drängt der Jugend Schwarm!
Wie reich und glänzend! – aber ich bin arm, 5
Da will ich lieber eure Lust nicht stören.

Dann das Gewölb' – mir wird darin nicht wohl,
Wo man der Gruft den modernden Obol
Entschaufelt, und sich drüber legt zum Streite;
Ergraute Häupter nicken rings herum, 10
Wie weis' und gründlich! – aber ich bin dumm,
Da schleich ich lieber ungesehn beiseite.

Doch die Katheder im Gebirge nah,
Der Meister unsichtbar, doch laut Hurra
Ihm Wälder, Strom und Sturmesflügel rauschen, 15
Matrikel ist des Herzens frischer Schlag,
Da will zeitlebens ich, bei Nacht und Tag,
Demüt'ger Schüler, seinen Worten lauschen.

Heidebilder

Die Lerche

Hörst du der Nacht gespornten Wächter nicht?
Sein Schrei verzittert mit dem Dämmerlicht,
Und schlummertrunken hebt aus Purpurdecken
Ihr Haupt die Sonne; in das Ätherbecken
Taucht sie die Stirn, man sieht es nicht genau, 5
Ob Licht sie zünde, oder trink' im Blau.
Glührote Pfeile zucken auf und nieder,
Und wecken Taues Blitze, wenn im Flug
Sie streifen durch der Heide braunen Zug.
Da schüttelt auch die Lerche ihr Gefieder, 10
Des Tages Herold seine Liverei;
Ihr Köpfchen streckt sie aus dem Ginster scheu,
Blinzt nun mit diesem, nun mit jenem Aug';
Dann leise schwankt, es spaltet sich der Strauch,
Und wirbelnd des Mandates erste Note 15
Schießt in das feuchte Blau des Tages Bote.

»Auf! auf! die junge Fürstin ist erwacht!
Schlaftrunkne Kämm'rer, habt des Amtes Acht;
Du mit dem Saphirbecken Genziane,
Zwergweide du mit deiner Seidenfahne, 20
Das Amt, das Amt, ihr Blumen allzumal,
Die Fürstin wacht, bald tritt sie in den Saal!«

Da regen tausend Wimper sich zugleich,
Maßliebchen hält das klare Auge offen,
Die Wasserlilie sieht ein wenig bleich, 25
Erschrocken, dass im Bade sie betroffen;
Wie steht der Zitterhalm verschämt und zage!

Die kleine Weide pudert sich geschwind
Und reicht dem West ihr Seidentüchlein lind,
Dass zu der Hoheit Händen er es trage. 30
Ehrfürchtig beut den tauigen Pokal
Das Genzian, und nieder langt der Strahl;
Prinz von Geblüte hat die erste Stätte
Er immer dienend an der Fürstin Bette.

Der Purpur lischt gemach im Rosenlicht, 35
Am Horizont ein zuckend Leuchten bricht
Des Vorhangs Falten, und aufs Neue singt
Die Lerche, dass es durch den Äther klingt:

»Die Fürstin kömmt, die Fürstin steht am Tor!
Frischauf ihr Musikanten in den Hallen, 40
Lasst euer zartes Saitenspiel erschallen,
Und, florbeflügelt Volk, heb an den Chor,
Die Fürstin kömmt, die Fürstin steht am Tor!«

Da krimmelt, wimmelt es im Heidgezweige,
Die Grille dreht geschwind das Beinchen um, 45
Streicht an des Taues Kolophonium,
Und spielt so schäferlich die Liebesgeige.
Ein tüchtiger Hornist, der Käfer, schnurrt,
Die Mücke schleift behänd die Silberschwingen,
Dass heller der Triangel möge klingen; 50
Diskant und auch Tenor die Fliege surrt;
Und, immer mehrend ihren werten Gurt,
Die reiche Katze um des Leibes Mitten,
Ist als Bassist die Biene eingeschritten:
Schwerfällig hockend in der Blüte rummeln 55
Das Kontraviolon der trägen Hummeln.
So tausendarmig ward noch nie gebaut
Des Münsters Halle, wie im Heidekraut
Gewölbe an Gewölben sich erschließen,
Gleich Labyrinthen ineinander schießen; 60

So tausendstimmig stieg noch nie ein Chor,
Wie's musiziert aus grünem Heid hervor.

Jetzt sitzt die Königin auf ihrem Throne,
Die Silberwolke Teppich ihrem Fuß,
Am Haupte flammt und quillt die Strahlenkrone, 65
Und lauter, lauter schallt des Herolds Gruß:

»Bergleute auf, herauf aus eurem Schacht,
Bringt eure Schätze, und du Fabrikant,
Breit' vor der Fürstin des Gewandes Pracht,
Kaufherrn, enthüllt den Saphir, den Demant.« 70

Schau, wie es wimmelt aus der Erde Schoß,
Wie sich die schwarzen Knappen drängen, streifen,
Und mühsam stemmend aus den Stollen schleifen
Gewalt'ge Stufen, wie der Träger groß;
Ameisenvolk, du machst es dir zu schwer! 75
Dein roh Gestein lockt keiner Fürstin Gnaden.
Doch sieh die Spinne rutschend hin und her,
Schon zieht sie des Gewebes letzten Faden,
Wie Perlen klar, ein duftig Elfenkleid;
Viel edle Funken sind darin entglommen; 80
Da kömmt der Wind und häkelt es vom Heid,
Es steigt, es flattert, und es ist verschwommen. –

Die Wolke dehnte sich, scharf strich der Hauch,
Die Lerche schwieg, und sank zum Ginsterstrauch.

Die Jagd

Die Luft hat schlafen sich gelegt,
Behaglich in das Moos gestreckt,
Kein Rispeln, das die Kräuter regt,
Kein Seufzer, der die Halme weckt.

Nur eine Wolke träumt mitunter 5
Am blassen Horizont hinunter,
Dort, wo das Tannicht überm Wall
Die dunkeln Kandelabern streckt.
Da horch, ein Ruf, ein ferner Schall:
»Hallo! hoho!« so lang gezogen, 10
Man meint, die Klänge schlagen Wogen
Im Ginsterfeld, und wieder dort:
»Hallo! hoho!« – am Dickicht fort
Ein zögernd Echo, – alles still!
Man hört der Fliege Angstgeschrill 15
Im Mettennetz, den Fall der Beere,
Man hört im Kraut des Käfers Gang,
Und dann wie ziehnder Kranichheere
Kling klang! von ihrer luft'gen Fähre,
Wie ferner Unkenruf: Kling! klang! 20
Ein Läuten das Gewäld entlang,
Hui schlüpft der Fuchs den Wall hinab –
Er gleitet durch die Binsenspeere,
Und zuckelt fürder seinen Trab:
Und aus dem Dickicht, weiß wie Flocken, 25
Nachstäuben die lebend'gen Glocken,
Radschlagend an des Dammes Hang;
Wie Aale schnellen sie vom Grund,
Und weiter, weiter, Fuchs und Hund.
Der schwankende Wacholder flüstert, 30
Die Binse rauscht, die Heide knistert,
Und stäubt Phalänen um die Meute.
Sie jappen, klaffen nach der Beute,
Schaumflocken sprühn aus Nas' und Mund;
Noch hat der Fuchs die rechte Weite, 35
Gelassen trabt er, schleppt den Schweif,
Zieht in dem Taue dunklen Streif,
Und zeigt verächtlich seine Socken.
Doch bald hebt er die Lunte frisch,
Und, wie im Weiher schnellt der Fisch, 40

Fort setzt er über Kraut und Schmehlen,
Wirft mit den Läufen Kies und Staub;
Die Meute mit geschwollnen Kehlen
Ihm nach wie rasselnd Winterlaub.
Man höret ihre Kiefern knacken, 45
Wenn fletschend in die Luft sie hacken;
In weitem Kreise so zum Tann,
Und wieder aus dem Dickicht dann
Ertönt das Glockenspiel der Bracken.

Was bricht dort im Gestrippe am Revier? 50
Im holprichten Galopp stampft es den Grund;
Ha! brüllend Herdenvieh! voran der Stier,
Und ihnen nach klafft ein versprengter Hund.
Schwerfällig poltern sie das Feld entlang,
Das Horn gesenkt, waagrecht des Schweifes
Strang, 55
Und taumeln noch ein paarmal in die Runde,
Eh Posto wird gefasst im Heidegrunde.
Nun endlich stehn sie, murren noch zurück,
Das Dickicht messend mit verglastem Blick,
Dann sinkt das Haupt und unter ihrem Zahne 60
Ein leises Rupfen knirrt im Thymiane;
Unwillig schnauben sie den gelben Rauch,
Das Euter streifend am Wacholderstrauch,
Und peitschen mit dem Schweife in die Wolke
Von summendem Gewürm und Fliegenvolke. 65
So langsam schüttelnd den gefüllten Bauch
Fort grasen sie bis zu dem Heidekolke.

Ein Schuss: »Hallo!« ein zweiter Schuss: »Hoho!«
Die Herde stutzt, des Kolkes Spiegel kraust
Ihr Blasen, dann die Hälse streckend, so 70
Wie in des Dammes Mönch der Strudel saust,
Ziehn sie das Wasser in den Schlund, sie pusten,
Die kranke Sterke schaukelt träg herbei,

Sie schaudert, schüttelt sich in hohlem Husten, 74
Und dann – ein Schuss, und dann – ein Jubelschrei!

Das grüne Käppchen auf dem Ohr,
Den halben Mond am Lederband,
Trabt aus der Lichtung rasch hervor
Bis mitten in das Heideland
Ein Waidmann ohne Tasch' und Büchse; 80
Er schwenkt das Horn, er ballt die Hand,
Dann setzt er an, und tausend Füchse
Sind nicht so kräftig totgeblasen,
Als heut es schmettert übern Rasen.

»Der Schelm ist tot, der Schelm ist tot! 85
Lasst uns den Schelm begraben!
Kriegen ihn die Hunde nicht,
Dann fressen ihn die Raben,
Hoho hallo!«

Da stürmt von allen Seiten es heran, 90
Die Bracken brechen aus Genist und Tann;
Durch das Gelände sieht in wüsten Reifen
Man johlend sie um den Hornisten schweifen.
Sie ziehen ihr Geheul so hohl und lang,
Dass es verdunkelt der Fanfare Klang, 95
Doch lauter, lauter schallt die Gloria,
Braust durch den Ginster die Victoria:

»Hängt den Schelm, hängt den Schelm!
Hängt ihn an die Weide,
Mir den Balg und dir den Talg, 100
Dann lachen wir alle beide;
Hängt ihn! Hängt ihn
Den Schelm, den Schelm! – –«

Die Vogelhütte

Regen, Regen, immer Regen! will nicht das Geplätscher enden,
Dass ich aus dem Sarge brechen kann, aus diesen Bretterwänden?

Sieben Schuhe ins Gevierte, das ist doch ein ärmlich Räumchen
Für ein Menschenkind, und wär' es schlank auch wie ein Rosenbäumchen!

O was ließ ich mich gelüsten, in den Vogelherd zu flüchten, 5
Als nur schwach die Wolke tropfte, als noch flüsterten die Fichten:

Und muss nun bestehn das Ganze, wie wenn zögernd man dem Schwätzer
Raum gegeben, dem langweilig Seile drehnden Phrasensetzer;

Und am Knopfe nun gehalten, oder schlimmer an den Händen,
Zappelnd wie der Halbgehängte langet nach des Strickes Enden! 10

Meine Unglücksstrick' sind dieser Wasserstriemen Läng' und Breite,
Die verkörperten Hyperbeln, denn Bindfäden regnet's heute.

Denk ich an die heitre Stube, an das weiche Kanapee,
Und wie mein Gedicht, das meine, dort zerlesen wird beim Tee:

Denk ich an die schwere Zunge, die statt meiner es zerdrischt, 15
Bohrend wie ein Schwertfisch möcht' ich schießen in den Wassergischt.

Pah! was kümmern mich die Tropfen, ob ich nass ob säuberlich!
Aber besser stramm und trocken, als durchnässt und lächerlich.

Da – ein Fleck, ein Loch am Himmel; bist du endlich doch gebrochen,
Alte Wassertonne, hab ich endlich dich entzweigesprochen? 20

Aber wehe! wie's vom Fasse brodelt, wenn gesprengt der Zapfen,
Hör ich's auf dem Dache rasseln, förmlich wie mit Füßen stapfen.

Regen! unbarmherz'ger Regen! mögst du braten oder sieden!
Wehe, diese alte Kufe ist das Fass der Danaiden!

Ich habe mich gesetzt in Gottes Namen; 25
Es hilft doch alles nicht, und mein Gedicht
Ist längst gelesen und im Schloss die Damen,
Sie saßen lange zu Gericht.

Statt einen neuen Lorbeerkranz zu drücken
In meine Phöboslocken, hat man sacht 30
Den alten losgezupft und hinterm Rücken
Wohl Eselsohren mir gemacht.

Verkannte Seele, fasse dich im Leiden,
Sei stark, sei nobel, denk, der Ruhm ist leer,
Das Leben kurz, es wechseln Schmerz und Freuden,
Und was dergleichen Neugedachtes mehr! 36

Ich schau mich um in meiner kleinen Zelle:
Für einen Klausner wär's ein hübscher Ort;
Die Bank, der Tisch, das hölzerne Gestelle,
Und an der Wand die Tasche dort; 40

Ein Netz im Winkelchen, ein Rechen, Spaten –
Und Betten? nun, das macht sich einfach hier;
Der Thymian ist heuer gut geraten,
Und blüht mir grade vor der Tür.

Die Waldung drüben – und das Quellgewässer – 45
Hier möcht ich Heidebilder schreiben, zum Exempel:
»Die Vogelhütte«, nein – »der Herd«, nein besser:
»Der Knieende in Gottes weitem Tempel«.

's ist doch romantisch, wenn ein zart Geriesel
Durch Immortellen und Wacholderstrauch 50
Umzieht und gleitet, wie ein schlüpfend Wiesel,
Und drüber flirrt der Stöberrauch;

Wenn Schimmer wechseln, weiß und seladonen;
Die weite Ebne schaukelt wie ein Schiff,
Hindurch der Kiebitz schrillt, wie Halkyonen 55
Wehklagend ziehen um das Riff.

Am Horizont die kolossalen Brücken –
Sind's Wolken oder ist's ein ferner Wald?
Ich will den Schemel an die Luke rücken,
Da liegt mein Hut, mein Hammer, – halt: 60

Ein Teller am Gestell! – was mag er bieten?
Fundus! bei Gott, ein Fund das Backwerk drin!
Für einen armen Hund von Eremiten,
Wie ich es leider heute bin!

Ein seidner Beutel noch – am Bort zerrissen; 65
Ich greife, greife Rundes mit der Hand;
Weh! in die dürre Erbs' hab ich gebissen –
Ich dacht', es seie Zuckerkand.

Und nun die Tasche! he, wir müssen klopfen –
Vielleicht liegt ein Gefangner hier in Haft; 70
Da – eine Flasche! schnell herab den Pfropfen –
Ist's Wasser? Wasser? – edler Rebensaft!

Und Edlerer, der ihn dem Sack vertraute,
Splendid barmherziger Wildhüter du,
Für einen armen Schelm, der Erbsen kaute, 75
Den frommen Bruder Tuck im Ivanhoe!

Mit dem Gekörn will ich den Kiebitz letzen,
Es aus der Luke streun, wenn er im Flug
Herschwirrt, mir auf die Schulter sich zu setzen,
Wie man es liest in manchem Buch. 80

Mir ist ganz wohl in meiner armen Zelle;
Wie mir das Klausnerleben so gefällt!
Ich bleibe hier, ich geh nicht von der Stelle,
Bevor der letzte Tropfen fällt.

Es verrieselt, es verraucht, 85
Mählich aus der Wolke taucht
Neu hervor der Sonnenadel.
In den feinen Dunst die Fichte
Ihre grünen Dornen streckt,

Wie ein schönes Weib die Nadel 90
In den Spitzenschleier steckt;
Und die Heide steht im Lichte
Zahllos blanker Tropfen, die
Am Wacholder zittern, wie
Glasgehänge an dem Lüster. 95
Überm Grund geht ein Geflüster,
Jedes Kräutchen reckt sich auf,
Und in langgestrecktem Lauf,
Durch den Sand des Pfades eilend,
Blitzt das goldne Panzerhemd 100
Des Kuriers*; am Halme weilend
Streicht die Grille sich das Nass
Von der Flügel grünem Glas.
Grashalm glänzt wie eine Klinge,
Und die kleinen Schmetterlinge, 105
Blau, orange, gelb und weiß,
Jagen tummelnd sich im Kreis.
Alles Schimmer, alles Licht,
Bergwald mag und Welle nicht
Solche Farbentöne hegen, 110
Wie die Heide nach dem Regen.

Ein Schall – und wieder – wieder – was ist das? –
Bei Gott, das Schloss! Da schlägt es acht im Turme –
Weh mein Gedicht! o weh mir armem Wurme,
Nun fällt mir alles ein, was ich vergaß! 115
Mein Hut, mein Hammer, hurtig fortgetrabt –
Vielleicht, vielleicht ist man diskret gewesen,
Und harrte meiner, der sein Federlesen
Indes mit Kraut und Würmern hat gehabt. –
Nun kommt der Steg und nun des Teiches Ried, 120

* Buprestis, ein in allen Farben schimmernder Prachtkäfer, der sich im Heidekraut aufhält.

Nun steigen der Alleen schlanke Streifen;
Ich weiß es nicht, ich kann es nicht begreifen,
Wie ich so gänzlich mich vom Leben schied –
Doch freilich – damals war ich Eremit!

Der Weiher

Er liegt so still im Morgenlicht,
So friedlich, wie ein fromm Gewissen;
Wenn Weste seinen Spiegel küssen,
Des Ufers Blume fühlt es nicht;
Libellen zittern über ihn, 5
Blaugoldne Stäbchen und Karmin,
Und auf des Sonnenbildes Glanz
Die Wasserspinne führt den Tanz;
Schwertlilienkranz am Ufer steht
Und horcht des Schilfes Schlummerliede; 10
Ein lindes Säuseln kommt und geht,
Als flüstr' es: Friede! Friede! Friede! –

Das Schilf

Stille, er schläft, stille! stille!
Libelle, reg die Schwingen sacht,
Dass nicht das Goldgewebe schrille, 15
Und, Ufergrün, halt gute Wacht,
Kein Kieselchen lass niederfallen.
Er schläft auf seinem Wolkenflaum,
Und über ihn lässt säuselnd wallen
Das Laubgewölb der alte Baum; 20
Hoch oben, wo die Sonne glüht,
Wieget der Vogel seine Flügel,
Und wie ein schlüpfend Fischlein zieht
Sein Schatten durch des Teiches Spiegel.

Stille, stille! er hat sich geregt, 25
Ein fallend Reis hat ihn bewegt,
Das grad zum Nest der Hänfling trug;
Su, Su! breit', Ast, dein grünes Tuch –
Su, Su! nun schläft er fest genug.

Die Linde

Ich breite über ihn mein Blätterdach, 30
So weit ich es vom Ufer strecken mag.
Schau her, wie langaus meine Arme reichen,
Ihm mit den Fächern das Gewürm zu scheuchen,
Das hundertfarbig zittert in der Luft.
Ich hauch ihm meines Odems besten Duft, 35
Und auf sein Lager lass ich niederfallen
Die Lieblichste von meinen Blüten allen;
Und eine Bank lehnt sich an meinen Stamm,
Da schaut ein Dichter von dem Uferdamm,
Den hör ich flüstern wunderliche Weise, 40
Von mir und dir und der Libell' so leise,
Dass er den frommen Schläfer nicht geweckt;
Sonst wahrlich hätt' die Raupe ihn erschreckt,
Die ich geschleudert aus dem Blätterhag.
Wie grell die Sonne blitzt; schwül wird der Tag. 45
O könnt' ich! könnt' ich meine Wurzeln strecken
Recht mitten in das tief kristallne Becken,
Den Fäden gleich, die, grünlicher Asbest,
Schaun so behaglich aus dem Wassernest,
Wie mir zum Hohne, der im Sonnenbrande 50
Hier einsam niederlechzt vom Uferrande.

Die Wasserfäden

Neid uns! neid uns! lass die Zweige hangen,
Nicht weil flüssigen Kristall wir trinken,
Neben uns des Himmels Sterne blinken,

Sonne sich in unserm Netz gefangen – 55
Nein, des Teiches Blutsverwandte, fest
Hält er all uns an die Brust gepresst,
Und wir bohren unsre feinen Ranken
In das Herz ihm, wie ein liebend Weib,
Dringen Adern gleich durch seinen Leib, 60
Dämmern auf wie seines Traums Gedanken;
Wer uns kennt, der nennt uns lieb und treu,
Und die Schmerle birgt in unsrer Hut
Und die Karpfenmutter ihre Brut;
Welle mag in unserm Schleier kosen; 65
Uns nur traut die holde Wasserfei,
Sie, die Schöne, lieblicher als Rosen.
Schleuß, Trifolium*, die Glocken auf,
Kurz dein Tag, doch königlich sein Lauf!

Kinder am Ufer

O sieh doch! siehst du nicht die Blumenwolke 70
Da drüben in dem tiefsten Weiherkolke?
O! das ist schön! hätt' ich nur einen Stecken,
Schmalzweiße Kelch' mit dunkelroten Flecken,
Und jede Glocke ist frisiert so fein
Wie unser wächsern Engelchen im Schrein. 75
Was meinst du, schneid ich einen Haselstab,
Und wat ein wenig in die Furt hinab?
Pah! Frösch' und Hechte können mich nicht
schrecken –
Allein, ob nicht vielleicht der Wassermann
Dort in den langen Kräutern hocken kann? 80
Ich geh, ich gehe schon – ich gehe nicht –
Mich dünkt, ich sah am Grunde ein Gesicht –
Komm lass uns lieber heim, die Sonne sticht!

* Trifolium, Dreiblatt, Menianthes trifoliata. L. Biberklee. Eine Wasserpflanze, die nur in sehr tiefem Wasser wächst, mit schöner aber sehr vergänglicher Blüte.

Der Hünenstein

Zur Zeit der Scheide zwischen Nacht und Tag,
Als wie ein siecher Greis die Heide lag
Und ihr Gestöhn des Mooses Teppich regte,
Krankhafte Funken im verwirrten Haar
Elektrisch blitzten, und, ein dunkler Mahr, 5
Sich über sie die Wolkenschichte legte;

Zu dieser Dämmerstunde war's, als ich
Einsam hinaus mit meinen Sorgen schlich,
Und wenig dachte, was es draußen treibe.
Nachdenklich schritt ich, und bemerkte nicht 10
Des Krautes Wallen und des Wurmes Licht,
Ich sah auch nicht, als stieg die Mondesscheibe.

Grad war der Weg, ganz sonder Steg und Bruch;
So träumt' ich fort und, wie ein schlechtes Buch,
Ein Pfennigs-Magazin uns auf der Reise 15
Von Station zu Stationen plagt,
Hab zehnmal Weggeworfnes ich benagt,
Und fortgeleiert überdrüss'ge Weise.

Entwürfe wurden aus Entwürfen reif, 19
Doch, wie die Schlange packt den eignen Schweif,
Fand ich mich immer auf derselben Stelle;
Da plötzlich fuhr ein plumper Schröter jach
Ans Auge mir, ich schreckte auf und lag
Am Grund, um mich des Heidekrautes Welle.

Seltsames Lager, das ich mir erkor! 25
Zur Rechten, Linken schwoll Gestein empor,
Gewalt'ge Blöcke, rohe Porphyrbrode;
Mir überm Haupte reckte sich der Bau,
Langhaar'ge Flechten rührten meine Brau',
Und mir zu Füßen schwankt' die Ginsterlode. 30

Ich wusste gleich, es war ein Hünengrab,
Und fester drückt' ich meine Stirn hinab,
Wollüstig saugend an des Grauens Süße,
Bis es mit eis'gen Krallen mich gepackt,
Bis wie ein Gletscher-Bronn des Blutes Takt 35
Aufquoll und hämmert' unterm Mantelvliese.

Die Decke über mir, gesunken, schief,
An der so blass gehärmt das Mondlicht schlief,
Wie eine Witwe an des Gatten Grabe;
Vom Hirtenfeuer Kohlenscheite sahn 40
So leichenbrandig durch den Thymian,
Dass ich sie abwärts schnellte mit dem Stabe.

Husch fuhr ein Kiebitz schreiend aus dem Moos;
Ich lachte auf; doch trug wie bügellos
Mich Phantasie weit über Spalt und Barren. 45
Dem Wind hab ich gelauscht so scharf gespannt,
Als bring' er Kunde aus dem Geisterland,
Und immer musst' ich an die Decke starren.

Ha! welche Sehnen wälzten diesen Stein?
Wer senkte diese wüsten Blöcke ein, 50
Als durch das Heid die Totenklage schallte?
Wer war die Drude, die im Abendstrahl
Mit Run' und Spruch umwandelte das Tal,
Indes ihr goldnes Haar im Winde wallte?

Dort ist der Osten, dort, drei Schuh im Grund, 55
Dort steht die Urne und in ihrem Rund
Ein wildes Herz zerstäubt zu Aschenflocken;
Hier lagert sich der Traum vom Opferhain,
Und finster schütteln über diesen Stein
Die grimmen Götter ihre Wolkenlocken. 60

Wie, sprach ich Zauberformel? Dort am Damm –
Es steigt, es breitet sich wie Wellenkamm,

Ein Riesenleib, gewalt'ger, höher immer;
Nun greift es aus mit langgedehntem Schritt –
Schau, wie es durch der Eiche Wipfel glitt, 65
Durch seine Glieder zittern Mondenschimmer.

Komm her, komm nieder – um ist deine Zeit!
Ich harre dein, im heil'gen Bad geweiht;
Noch ist der Kirchenduft in meinem Kleide! –
Da fährt es auf, da ballt es sich ergrimmt, 70
Und langsam, eine dunkle Wolke, schwimmt
Es über meinem Haupt entlang die Heide.

Ein Ruf, ein hüpfend Licht – es schwankt herbei –
Und – »Herr, es regnet« – sagte mein Lakai,
Der ruhig übers Haupt den Schirm mir streckte. 75
Noch einmal sah ich zum Gestein hinab:
Ach Gott, es war doch nur ein rohes Grab,
Das armen ausgedorrten Staub bedeckte! –

Die Steppe

Standest du je am Strande,
Wenn Tag und Nacht sich gleichen,
Und sahst aus Lehm und Sande
Die Regenrinnen schleichen –
Zahllose Schmugglerquellen, 5
Und dann, so weit das Auge
Nur reicht, des Meeres Wellen
Gefärbt mit gelber Lauge? –

Hier ist die Dün' und drunten
Das Meer; Kanonen gleichend 10
Stehn Schäferkarrn, die Lunten
Verlöscht am Boden streichend.

Gilt's etwa dem Korsaren
Im flatternden Kaftane,
Den dort ich kann gewahren
Im gelben Ozeane?

Er scheint das Tau zu schlagen,
Sein Schiff verdeckt die Düne,
Doch sieht den Mast man ragen, –
Ein dürrer Fichtenhüne; 20
Von seines Toppes Kunkel
Die Seile stramm wie Äste,
Der Mastkorb, rau und dunkel,
Gleicht einem Weihenneste! –

Die Mergelgrube

Stoß deinen Scheit drei Spannen in den Sand,
Gesteine siehst du aus dem Schnitte ragen,
Blau, gelb, zinnoberrot, als ob zur Gant
Natur die Trödelbude aufgeschlagen.
Kein Pardelfell war je so bunt gefleckt, 5
Kein Rebhuhn, keine Wachtel so gescheckt,
Als das Gerölle gleißend wie vom Schliff
Sich aus der Scholle bröckelt bei dem Griff
Der Hand, dem Scharren mit des Fußes Spitze.
Wie zürnend sturt dich an der schwarze Gneus, 10
Spatkugeln kollern nieder, milchig weiß,
Und um den Glimmer fahren Silberblitze;
Gesprenkelte Porphyre, groß und klein,
Die Ockerdruse und der Feuerstein –
Nur wenige hat dieser Grund gezeugt, 15
Der sah den Strand, und d e r des Berges Kuppe;
Die zorn'ge Welle hat sie hergescheucht,
Leviathan mit seiner Riesenschuppe,

Als schäumend übern Sinai er fuhr,
Des Himmels Schleusen dreißig Tage offen, 20
Gebirge schmolzen ein wie Zuckerkand,
Als dann am Ararat die Arche stand,
Und, eine fremde, üppige Natur,
Ein neues Leben quoll aus neuen Stoffen. –
Findlinge nennt man sie, weil von der Brust, 25
Der mütterlichen sie gerissen sind,
In fremde Wiege schlummernd unbewusst,
Die fremde Hand sie legt wie 's Findelkind.
O welch ein Waisenhaus ist diese Heide,
Die Mohren, Blassgesicht, und rote Haut 30
Gleichförmig hüllet mit dem braunen Kleide!
Wie endlos ihre Zellenreihn gebaut!

Tief ins Gebröckel, in die Mergelgrube
War ich gestiegen, denn der Wind zog scharf;
Dort saß ich seitwärts in der Höhlenstube, 35
Und horchte träumend auf der Luft Geharf.
Es waren Klänge, wie wenn Geisterhall
Melodisch schwinde im zerstörten All;
Und dann ein Zischen, wie von Moores Klaffen,
Wenn brodelnd es in sich zusamm'gesunken; 40
Mir überm Haupt ein Rispeln und ein Schaffen,
Als scharre in der Asche man den Funken.
Findlinge zog ich Stück auf Stück hervor,
Und lauschte, lauschte mit berauschtem Ohr.

Vor mir, um mich der graue Mergel nur, 45
Was drüber sah ich nicht; doch die Natur
Schien mir verödet, und ein Bild erstand
Von einer Erde, mürbe, ausgebrannt;
Ich selber schien ein Funken mir, der doch
Erzittert in der toten Asche noch, 50
Ein Findling im zerfallnen Weltenbau.
Die Wolke teilte sich, der Wind ward lau;

Mein Haupt nicht wagt' ich aus dem Hohl zu strecken,
Um nicht zu schauen der Verödung Schrecken,
Wie Neues quoll und Altes sich zersetzte – 55
War ich der erste Mensch oder der letzte?

Ha, auf der Schieferplatte hier Medusen –
Noch schienen ihre Strahlen sie zu zücken,
Als sie geschleudert von des Meeres Busen,
Und das Gebirge sank, sie zu zerdrücken. 60
Es ist gewiss, die alte Welt ist hin,
Ich Petrefakt, ein Mammutsknochen drin!
Und müde, müde sank ich an den Rand
Der staub'gen Gruft; da rieselte der Grand
Auf Haar und Kleider mir, ich ward so grau 65
Wie eine Leich' im Katakomben-Bau,
Und mir zu Füßen hört ich leises Knirren,
Ein Rütteln, ein Gebröckel und ein Schwirren.
Es war der Totenkäfer, der im Sarg
Soeben eine frische Leiche barg; 70
Ihr Fuß, ihr Flügelchen emporgestellt
Zeigt eine Wespe mir von dieser Welt.
Und anders ward mein Träumen nun gewandet,
Zu einer Mumie ward ich versandet,
Mein Linnen Staub, fahlgrau mein Angesicht, 75
Und auch der Skarabäus fehlte nicht.

Wie, Leichen über mir? – soeben gar
Rollt mir ein Byssusknäuel in den Schoß;
Nein, das ist Wolle, ehrlich Lämmerhaar –
Und plötzlich ließen mich die Träume los. 80
Ich gähnte, dehnte mich, fuhr aus dem Hohl,
Am Himmel stand der rote Sonnenball
Getrübt von Dunst, ein glüher Karniol,
Und Schafe weideten am Heidewall.
Dicht über mir sah ich den Hirten sitzen, 85
Er schlingt den Faden und die Nadeln blitzen,

Wie er bedächtig seinen Socken strickt.
Zu mir hinunter hat er nicht geblickt.
»Ave Maria« hebt er an zu pfeifen,
So sacht und schläfrig, wie die Lüfte streifen. 90
Er schaut so seelengleich die Herde an,
Dass man nicht weiß, ob Schaf er oder Mann.
Ein Räuspern dann, und langsam aus der Kehle
Schiebt den Gesang er in das Garngestrehle:

»Es stehet ein Fischlein in einem tiefen See, 95
Danach tu ich wohl schauen, ob es kommt in die Höh';
Wandl' ich über Grunheide bis an den kühlen Rhein,
Alle meine Gedanken bei meinem Feinsliebchen sein.

Gleich wie der Mond ins Wasser schaut hinein, 99
Und gleich wie die Sonne im Wald gibt güldenen Schein,
Also sich verborgen bei mir die Liebe findt,
Alle meine Gedanken, sie sind bei dir, mein Kind.

Wer da hat gesagt, ich wollte wandern fort,
Der hat sein Feinsliebchen an einem andern Ort;
Trau nicht den falschen Zungen, was sie dir blasen ein,
Alle meine Gedanken, sie sind bei dir allein.« 106

Ich war hinaufgeklommen, stand am Bord,
Dicht vor dem Schäfer, reichte ihm den Knäuel;
Er steckt' ihn an den Hut, und strickte fort,
Sein weißer Kittel zuckte wie ein Weihel. 110
Im Moose lag ein Buch; ich hob es auf –
»Bertuchs Naturgeschichte«; lest Ihr das? –
Da zog ein Lächeln seine Lippen auf:
»Der lügt mal, Herr! doch das ist just der Spaß!
Von Schlangen, Bären, die in Stein verwandelt, 115
Als, wie Genesis sagt, die Schleusen offen;
Wär's nicht zur Kurzweil, wär' es schlecht gehandelt:
Man weiß ja doch, dass alles Vieh versoffen.«

Ich reichte ihm die Schieferplatte: »Schau,
Das war ein Tier.« Da zwinkert' er die Brau', 120
Und hat mir lange pfiffig nachgelacht –
Dass ich verrückt sei, hätt' er nicht gedacht! –

Die Krähen

Heiß, heiß der Sonnenbrand
Drückt vom Zenit herunter,
Weit, weit der gelbe Sand
Zieht sein Gestäube drunter;
Nur wie ein grüner Strich 5
Am Horizont die Föhren;
Mich dünkt, man müsst' es hören,
Wenn nur ein Kanker schlich.

Der blasse Äther siecht,
Ein Ruhen rings, ein Schweigen, 10
Dem matt das Ohr erliegt;
Nur an der Düne steigen
Zwei Fichten, dürr, ergraut –
Wie Trauernde am Grabe –
Wo einsam sich ein Rabe 15
Die rupp'gen Federn kraut.

Da zieht's in Westen schwer
Wie eine Wetterwolke,
Kreist um die Föhren her
Und fällt am Heidekolke; 20
Und wieder steigt es dann,
Es flattert und es ächzet,
Und immer näher krächzet
Das Galgenvolk heran.

Recht, wo der Sand sich dämmt, 25
Da lagert es am Hügel;
Es badet sich und schwemmt,
Stäubt Asche durch die Flügel
Bis jede Feder grau;
Dann rasten sie im Bade, 30
Und horchen der Suade
Der alten Krähenfrau,

Die sich im Sande reckt,
Das Bein lang ausgeschossen,
Ihr eines Aug' gefleckt, 35
Das andre ist geschlossen;
Zweihundert Jahr und mehr
Gehetzt mit allen Hunden,
Schnarrt sie nun ihre Kunden
Dem jungen Volke her: 40

»Ja, ritterlich und kühn all sein Gebar!
Wenn er so herstolzierte vor der Schar,
Und ließ sein bäumend Ross so drehn und schwenken,
Da musst' ich immer an Sankt Görgen denken,
Den Wettermann, der – als am Schlot ich saß, 45
Ließ mir die Sonne auf den Rücken brennen –
Vom Wind getrillt mich schlug so hart, dass bass
Ich es dem alten Raben möchte gönnen,
Der dort von seiner Hopfenstange schaut,
Als sei ein Baum er und wir andern Kraut! – 50

Kühn war der Halberstadt, das ist gewiss!
Wenn er die Braue zog, die Lippe biss,
Dann standen seine Landsknecht' auf den Füßen
Wie Speere, solche Blicke konnt' er schießen.
Einst brach sein Schwert; er riss die Kuppel los, 55
Stieß mit der Scheide einen Mann vom Pferde.
Ich war nur immer froh, dass flügellos,

Ganz sonder Witz der Mensch geboren werde:
Denn nie hab ich gesehn, dass aus der Schlacht
Er eine Leber nur beiseit' gebracht. 60

An einem Sommertag, – heut sind es grad
Zweihundertfünfzehn Jahr, es lief die Schnat
Am Damme drüben damals bei den Föhren –
Da konnte man ein frisch Drometen hören,
Ein Schwerterklirren und ein Feldgeschrei, 65
Radschlagen sah man Reuter von den Rossen,
Und die Kanone fuhr ihr Hirn zu Brei;
Entlang die Gleise ist das Blut geflossen,
Granat' und Wachtel liefen kunterbunt
Wie junge Kiebitze am sand'gen Grund. 70

Ich saß auf einem Galgen, wo das Bruch
Man überschauen konnte recht mit Fug;
Dort an der Schnat hat Halberstadt gestanden,
Mit seinem Sehrohr streifend durch die Banden,
Hat seinen Stab geschwungen so und so; 75
Und wie er schwenkte, zogen die Soldaten –
Da plötzlich aus den Mörsern fuhr die Loh',
Es knallte, dass ich bin zu Fall geraten,
Und als kopfüber ich vom Galgen schoss,
Da pfiff der Halberstadt davon zu Ross. 80

Mir stieg der Rauch in Ohr und Kehl', ich schwang
Mich auf, und nach der Qualm in Strömen drang;
Entlang die Heide fuhr ich mit Gekrächze.
Am Grunde, welch Geschrei, Geschnaub, Geächze!
Die Rosse wälzten sich und zappelten, 85
Todwunde zuckten auf, Landsknecht' und Reuter
Knirschten den Sand, da näher trappelten
Schwadronen, manche krochen winselnd weiter,
Und mancher hat noch einen Stich versucht,
Als über ihn der Baier weggeflucht. 90

Noch lange haben sie getobt, geknallt,
Ich hatte mich geflüchtet in den Wald;
Doch als die Sonne färbt' der Föhren Spalten,
Ha welch ein köstlich Mahl ward da gehalten!
Kein Geier schmaust, kein Weihe je so reich! 95
In achtzehn Schwärmen fuhren wir herunter,
Das gab ein Hacken, Picken, Leich' auf Leich' –
Allein der Halberstadt war nicht darunter:
Nicht kam er heut, noch sonst mir zu Gesicht,
Wer ihn gefressen hat, ich weiß es nicht.« 100

Sie zuckt die Klaue, kraut den Schopf,
Und streckt behaglich sich im Bade;
Da streckt ein grauer Herr den Kopf,
Weit älter, als die Scheh'razade.
»Ha«, krächzt er, »das war wüste Zeit, – 105
Da gab's nicht Frauen, wie vor Jahren,
Als Ritter mit dem Kreuz gefahren,
Und man die Münster hat geweiht!«
Er hustet, speit ein wenig Sand und Ton,
Dann hebt er an, ein grauer Seladon: 110

»Und wenn er kühn, so war sie schön,
Die heil'ge Frau im Ordenskleide!
Ihr mocht' der Weihel süßer stehn,
Als andern Güldenstück und Seide.
Kaum war sie holder an dem Tag, 115
Da ihr jungfräulich Haar man fällte,
Als ich ans Kirchenfenster schnellte,
Und schier Tobias' Hündlein brach.

Da stand die alte Gräfin, stand
Der alte Graf, geduldig harrend; 120
Er aufs Barettlein in der Hand,
Sie fest aufs Paternoster starrend;
Ehrbar, wie bronzen sein Gesicht –

Und aus der Mutter Wimpern glitten
Zwei Tränen auf der Schaube Mitten, 125
Doch ihre Lippe zuckte nicht.

Und sie in ihrem Sammetkleid,
Von Perlen und Juwel' umfunkelt,
Bleich war sie, aber nicht von Leid,
Ihr Blick doch nicht von Gram umdunkelt. 130
So mild hat sie das Haupt gebeugt,
Als woll' auf den Altar sie legen
Des Haares königlichen Segen,
Vom Antlitz ging ein süß Geleucht.

Doch als nun, wie am Blutgerüst, 135
Ein Mann die Seidenstränge packte,
Da fasste mich ein wild Gelüst,
Ich schlug die Scheiben, dass es knackte,
Und flattert' fort, als ob der Stahl
Nach meinem Nacken wolle zücken. 140
Ja wahrlich, über Kopf und Rücken
Fühlt' ich den ganzen Tag mich kahl!

Und später sah ich manche Stund
Sie betend durch den Kreuzgang schreiten,
Ihr süßes Auge übern Grund 145
Entlang die Totenlager gleiten;
Ins Quadrum flog ich dann hinab,
Spazierte auf dem Leichensteine,
Sang, oder suchte auch zum Scheine
Nach einem Regenwurm am Grab. 150

Wie sie gestorben, weiß ich nicht;
Die Fenster hatte man verhangen,
Ich sah am Vorhang nur das Licht
Und hörte, wie die Schwestern sangen;
Auch hat man keinen Stein geschafft 155

Ins Quadrum, doch ich hörte sagen,
Dass manchem Kranken Heil getragen
Der sel'gen Frauen Wunderkraft.

Ein Loch gibt es am Kirchenend',
Da kann man ins Gewölbe schauen, 160
Wo matt die ew'ge Lampe brennt,
Steinsärge ragen, fein gehauen;
Da streck ich oft im Dämmergrau
Den Kopf durchs Gitter, klage, klage
Die Schlafende im Sarkophage, 165
So hold, wie keine Krähenfrau!«

Er schließt die Augen, stößt ein lang »Kraha!«
Gestreckt die Zunge und den Schnabel offen;
Matt, flügelhängend, ein zertrümmert Hoffen,
Ein Bild gebrochnen Herzens sitzt er da. – 170
Da schnarrt es über ihm: »Ihr Narren all!«
Und nieder von der Fichte plumpt der Rabe:
»Ist einer hier, der hörte von Walhall,
Von Teut und Thor, und von dem Hünengrabe?
Saht ihr den Opferstein« – da mit Gekrächz 175
Hebt sich die Schar und klatscht entlang den Hügel.
Der Rabe blinzt, er stößt ein kurz Geächz,
Die Federn sträubend wie ein zorn'ger Igel;
Dann duckt er nieder, kraut das kahle Ohr,
Noch immer schnarrend fort von Teut und Thor. – 180

Das Hirtenfeuer

Dunkel, Dunkel im Moor,
Über der Heide Nacht,
Nur das rieselnde Rohr
Neben der Mühle wacht,

Und an des Rades Speichen 5
Schwellende Tropfen schleichen.

Unke kauert im Sumpf,
Igel im Grase duckt,
In dem modernden Stumpf
Schlafend die Kröte zuckt, 10
Und am sandigen Hange
Rollt sich fester die Schlange.

Was glimmt dort hinterm Ginster,
Und bildet lichte Scheiben?
Nun wirft es Funkenflinster, 15
Die löschend niederstäuben;
Nun wieder alles dunkel –
Ich hör des Stahles Picken,
Ein Knistern, ein Gefunkel –
Und auf die Flammen zücken. 20

Und Hirtenbuben hocken
Im Kreis umher, sie strecken
Die Hände, Torfes Brocken
Seh ich die Lohe lecken;
Da bricht ein starker Knabe 25
Aus des Gestrippes Windel,
Und schleifet nach im Trabe
Ein wüst Wacholderbündel.

Er lässt's am Feuer kippen –
Hei, wie die Buben johlen, 30
Und mit den Fingern schnippen
Die Funken-Girandolen!
Wie ihre Zipfelmützen
Am Ohre lustig flattern,
Und wie die Nadeln spritzen, 35
Und wie die Äste knattern!

Die Flamme sinkt, sie hocken
Aufs Neu' umher im Kreise,
Und wieder fliegen Brocken,
Und wieder schwelt es leise; 40
Glührote Lichter streichen
An Haarbusch und Gesichte,
Und schier Dämonen gleichen
Die kleinen Heidewichte.

Der da, der Unbeschuhte, 45
Was streckt er in das Dunkel
Den Arm wie eine Rute,
Im Kreise welch Gemunkel?
Sie spähn wie junge Geier
Von ihrer Ginsterschütte: 50
Ha, noch ein Hirtenfeuer,
Recht an des Dammes Mitte!

Man sieht es eben steigen
Und seine Schimmer breiten,
Den wirren Funkenreigen 55
Übern Wacholder gleiten;
Die Buben flüstern leise,
Sie räuspern ihre Kehlen,
Und alte Heideweise
Verzittert durch die Schmehlen. 60

»Helo, heloe!
Heloe, loe!
Komm du auf unsre Heide,
Wo ich meine Schäflein weide,
Komm, o komm in unser Bruch, 65
Da gibt's der Blümelein genug, –
Helo, heloe!«

Die Knaben schweigen, lauschen nach dem Tann,
Und leise durch den Ginster zieht's heran:

Gegenstrophe

»Helo, heloe! 70
Ich sitze auf dem Walle,
Meine Schäflein schlafen alle,
Komm, o komm in unsern Kamp,
Da wächst das Gras wie Brahm so lang! –
Helo, heloe! 75
Heloe, loe!«

Der Heidemann*

»Geht, Kinder, nicht zu weit ins Bruch,
Die Sonne sinkt, schon surrt den Flug
Die Biene matter, schlafgehemmt,
Am Grunde schwimmt ein blasses Tuch,
Der Heidemann kömmt! –« 5

Die Knaben spielen fort am Raine,
Sie rupfen Gräser, schnellen Steine,
Sie plätschern in des Teiches Rinne,
Erhaschen die Phalän' am Ried,
Und freun sich, wenn die Wasserspinne 10
Langbeinig in die Binsen flieht.

»Ihr Kinder, legt euch nicht ins Gras, –
Seht, wo noch grad die Biene saß,
Wie weißer Rauch die Glocken füllt.
Scheu aus dem Busche glotzt der Has, 15
Der Heidemann schwillt! –«

* Hier nicht das bekannte Gespenst, sondern die Nebelschicht, die sich zur Herbst- und Frühlingszeit abends über den Heidegrund legt.

Kaum hebt ihr schweres Haupt die Schmehle
Noch aus dem Dunst, in seine Höhle
Schiebt sich der Käfer und am Halme
Die träge Motte höher kreucht, 20
Sich flüchtend vor dem feuchten Qualme,
Der unter ihre Flügel steigt.

»Ihr Kinder, haltet euch bei Haus,
Lauft ja nicht in das Bruch hinaus;
Seht, wie bereits der Dorn ergraut, 25
Die Drossel ächzt zum Nest hinaus,
Der Heidemann braut! –«

Man sieht des Hirten Pfeife glimmen,
Und vor ihm her die Herde schwimmen,
Wie Proteus seine Robbenscharen 30
Heimschwemmt im grauen Ozean.
Am Dach die Schwalben zwitschernd fahren
Und melancholisch kräht der Hahn.

»Ihr Kinder, bleibt am Hofe dicht,
Seht, wie die feuchte Nebelschicht 35
Schon an des Pförtchens Klinke reicht;
Am Grunde schwimmt ein falsches Licht,
Der Heidemann steigt! –«

Nun strecken nur der Föhren Wipfel
Noch aus dem Dunste grüne Gipfel, 40
Wie übern Schnee Wacholderbüsche;
Ein leises Brodeln quillt im Moor,
Ein schwaches Schrillen, ein Gezische
Dringt aus der Niederung hervor.

»Ihr Kinder, kommt, kommt schnell herein, 45
Das Irrlicht zündet seinen Schein,
Die Kröte schwillt, die Schlang' im Ried;

Jetzt ist's unheimlich draußen sein,
Der Heidemann zieht! –«

Nun sinkt die letzte Nadel, rauchend 50
Zergeht die Fichte, langsam tauchend
Steigt Nebelschemen aus dem Moore,
Mit Hünenschritten gleitet's fort;
Ein irres Leuchten zuckt im Rohre,
Der Krötenchor beginnt am Bord. 55

Und plötzlich scheint ein schwaches Glühen
Des Hünen Glieder zu durchziehen;
Es siedet auf, es färbt die Wellen,
Der Nord, der Nord entzündet sich –
Glutpfeile, Feuerspeere schnellen, 60
Der Horizont ein Lavastrich!

»Gott gnad' uns! wie es zuckt und dräut,
Wie's schwelet an der Dünenscheid'! –
Ihr Kinder, faltet eure Händ',
Das bringt uns Pest und teure Zeit – 65
Der Heidemann brennt! –«

Das Haus in der Heide

Wie lauscht, vom Abendschein umzuckt,
Die strohgedeckte Hütte,
– Recht wie im Nest der Vogel duckt, –
Aus dunkler Föhren Mitte.

Am Fensterloche streckt das Haupt 5
Die weißgestirnte Sterke,
Bläst in den Abendduft und schnaubt
Und stößt ans Holzgewerke.

Seitab ein Gärtchen, dornumhegt,
Mit reinlichem Gelände, 10
Wo matt ihr Haupt die Glocke trägt,
Aufrecht die Sonnenwende.

Und drinnen kniet ein stilles Kind,
Das scheint den Grund zu jäten,
Nun pflückt sie eine Lilie lind 15
Und wandelt längs den Beeten.

Am Horizonte Hirten, die
Im Heidekraut sich strecken,
Und mit des Aves Melodie
Träumende Lüfte wecken. 20

Und von der Tenne ab und an
Schallt es wie Hammerschläge,
Der Hobel rauscht, es fällt der Span,
Und langsam knarrt die Säge.

Da hebt der Abendstern gemach 25
Sich aus den Föhrenzweigen,
Und grade ob der Hütte Dach
Scheint er sich mild zu neigen.

Es ist ein Bild, wie still und heiß
Es alte Meister hegten, 30
Kunstvolle Mönche, und mit Fleiß
Es auf den Goldgrund legten.

Der Zimmermann – die Hirten gleich
Mit ihrem frommen Liede –
Die Jungfrau mit dem Lilienzweig – 35
Und rings der Gottesfriede.

Des Sternes wunderlich Geleucht
Aus zarten Wolkenfloren –
Ist etwa hier im Stall vielleicht
Christkindlein heut geboren? 40

Der Knabe im Moor

O schaurig ist's übers Moor zu gehn,
Wenn es wimmelt vom Heiderauche,
Sich wie Phantome die Dünste drehn
Und die Ranke häkelt am Strauche,
Unter jedem Tritte ein Quellchen springt, 5
Wenn aus der Spalte es zischt und singt,
O schaurig ist's übers Moor zu gehn,
Wenn das Röhricht knistert im Hauche!

Fest hält die Fibel das zitternde Kind
Und rennt als ob man es jage; 10
Hohl über die Fläche sauset der Wind –
Was raschelt drüben am Hage?
Das ist der gespenstige Gräberknecht,
Der dem Meister die besten Torfe verzecht;
Hu, hu, es bricht wie ein irres Rind! 15
Hinducket das Knäblein zage.

Vom Ufer starret Gestumpf hervor,
Unheimlich nicket die Föhre,
Der Knabe rennt, gespannt das Ohr,
Durch Riesenhalme wie Speere; 20
Und wie es rieselt und knittert darin!
Das ist die unselige Spinnerin,
Das ist die gebannte Spinnlenor',
Die den Haspel dreht im Geröhre!

Voran, voran, nur immer im Lauf, 25
Voran als woll' es ihn holen;
Vor seinem Fuße brodelt es auf,
Es pfeift ihm unter den Sohlen
Wie eine gespenstige Melodei;
Das ist der Geigemann ungetreu, 30
Das ist der diebische Fiedler Knauf,
Der den Hochzeitheller gestohlen!

Da birst das Moor, ein Seufzer geht
Hervor aus der klaffenden Höhle;
Weh, weh, da ruft die verdammte Margreth: 35
»Ho, ho, meine arme Seele!«
Der Knabe springt wie ein wundes Reh,
Wär' nicht Schutzengel in seiner Näh',
Seine bleichenden Knöchelchen fände spät
Ein Gräber im Moorgeschwele. 40

Da mählich gründet der Boden sich,
Und drüben, neben der Weide,
Die Lampe flimmert so heimatlich,
Der Knabe steht an der Scheide.
Tief atmet er auf, zum Moor zurück 45
Noch immer wirft er den scheuen Blick:
Ja, im Geröhre war's fürchterlich,
O schaurig war's in der Heide!

Fels, Wald und See

Am Turme

Ich steh auf hohem Balkone am Turm,
Umstrichen vom schreienden Stare,
Und lass gleich einer Mänade den Sturm
Mir wühlen im flatternden Haare;
O wilder Geselle, o toller Fant, 5
Ich möchte dich kräftig umschlingen,
Und, Sehne an Sehne, zwei Schritte vom Rand
Auf Tod und Leben dann ringen!

Und drunten seh ich am Strand, so frisch
Wie spielende Doggen, die Wellen 10
Sich tummeln rings mit Geklaff und Gezisch,
Und glänzende Flocken schnellen.
O, springen möcht' ich hinein alsbald,
Recht in die tobende Meute,
Und jagen durch den korallenen Wald 15
Das Walross, die lustige Beute!

Und drüben seh ich ein Wimpel wehn
So keck wie eine Standarte,
Seh auf und nieder den Kiel sich drehn
Von meiner luftigen Warte; 20
O, sitzen möcht' ich im kämpfenden Schiff,
Das Steuerruder ergreifen,
Und zischend über das brandende Riff
Wie eine Seemöwe streifen.

Wär' ich ein Jäger auf freier Flur, 25
Ein Stück nur von einem Soldaten,

Wär' ich ein Mann doch mindestens nur,
So würde der Himmel mir raten;
Nun muss ich sitzen so fein und klar,
Gleich einem artigen Kinde, 30
Und darf nur heimlich lösen mein Haar,
Und lassen es flattern im Winde!

Das öde Haus

Tiefab im Tobel liegt ein Haus,
Zerfallen nach des Försters Tode,
Dort ruh ich manche Stunde aus,
Vergraben unter Rank' und Lode;
's ist eine Wildnis, wo der Tag 5
Nur halb die schweren Wimper lichtet;
Der Felsen tiefe Kluft verdichtet
Ergrauter Äste Schattenhag.

Ich horche träumend, wie im Spalt
Die schwarzen Fliegen taumelnd summen, 10
Wie Seufzer streifen durch den Wald,
Am Strauche irre Käfer brummen;
Wenn sich die Abendröte drängt
An sickernden Geschiefers Lauge,
Dann ist's als ob ein trübes Auge, 15
Ein rotgeweintes drüber hängt.

Wo an zerrissner Laube Joch
Die langen magern Schossen streichen,
An wildverwachsner Hecke noch
Im Moose Nelkensprossen schleichen, 20
Dort hat vom tröpfelnden Gestein
Das dunkle Nass sich durchgesogen,
Kreucht um den Buchs in trägen Bogen,
Und sinkt am Fenchelstrauche ein.

Das Dach, von Moose überschwellt, 25
Lässt wirre Schober niederragen,
Und eine Spinne hat ihr Zelt
Im Fensterloche aufgeschlagen;
Da hängt, ein Blatt von zartem Flor,
Der schillernden Libelle Flügel, 30
Und ihres Panzers goldner Spiegel
Ragt kopflos am Gesims hervor.

Zuweilen hat ein Schmetterling
Sich gaukelnd in der Schlucht gefangen,
Und bleibt sekundenlang am Ring 35
Der kränkelnden Narzisse hangen;
Streicht eine Taube durch den Hain,
So schweigt am Tobelrand ihr Girren,
Man höret nur die Flügel schwirren
Und sieht den Schatten am Gestein. 40

Und auf dem Herde, wo der Schnee
Seit Jahren durch den Schlot geflogen,
Liegt Aschenmoder feucht und zäh,
Von Pilzes Glocken überzogen;
Noch hängt am Mauerpflock ein Rest 45
Verwirrten Wergs, das Seil zu spinnen,
Wie halbvermorschtes Haar und drinnen
Der Schwalbe überjährig Nest.

Und von des Balkens Haken nickt
Ein Schellenband an Schnall' und Riemen, 50
Mit grober Wolle ist gestickt
»Diana« auf dem Lederstriemen;
Ein Pfeifchen auch vergaß man hier,
Als man den Tannensarg geschlossen;
Den Mann begrub man, totgeschossen 55
Hat man das alte treue Tier.

tz ich so einsam am Gesträuch
nd hör die Maus im Laube schrillen,
as Eichhorn blafft von Zweig zu Zweig,
Am Sumpfe läuten Unk' und Grillen – 60
Wie Schauer überläuft's mich dann,
Als hör' ich klingeln noch die Schellen,
Im Walde die Diana bellen
Und pfeifen noch den toten Mann.

Im Moose

Als jüngst die Nacht dem sonnenmüden Land
Der Dämmrung leise Boten hat gesandt,
Da lag ich einsam noch in Waldes Moose.
Die dunklen Zweige nickten so vertraut,
An meiner Wange flüsterte das Kraut, 5
Unsichtbar duftete die Heiderose.

Und flimmern sah ich, durch der Linde Raum,
Ein mattes Licht, das im Gezweig der Baum
Gleich einem mächt'gen Glühwurm schien zu tragen.
Es sah so dämmernd wie ein Traumgesicht, 10
Doch wusste ich, es war der Heimat Licht,
In meiner eignen Kammer angeschlagen.

Ringsum so still, dass ich vernahm im Laub
Der Raupe Nagen, und wie grüner Staub
Mich leise wirbelnd Blätterflöckchen trafen. 15
Ich lag und dachte, ach so manchem nach,
Ich hörte meines eignen Herzens Schlag,
Fast war es mir als sei ich schon entschlafen.

Gedanken tauchten aus Gedanken auf,
Das Kinderspiel, der frischen Jahre Lauf, 20

Gesichter, die mir lange fremd geworden;
Vergessne Töne summten um mein Ohr,
Und endlich trat die Gegenwart hervor,
Da stand die Welle, wie an Ufers Borden.

Dann, gleich dem Bronnen, der verrinnt im Schlund, 25
Und drüben wieder sprudelt aus dem Grund,
So stand ich plötzlich in der Zukunft Lande;
Ich sah mich selber, gar gebückt und klein,
Geschwächten Auges, am ererbten Schrein
Sorgfältig ordnen staub'ge Liebespfande. 30

Die Bilder meiner Lieben sah ich klar,
In einer Tracht, die jetzt veraltet war,
Mich sorgsam lösen aus verblichnen Hüllen,
Löckchen, vermorscht, zu Staub zerfallen schier,
Sah über die gefurchte Wange mir 35
Langsam herab die karge Träne quillen.

Und wieder an des Friedhofs Monument,
Dran Namen standen die mein Lieben kennt,
Da lag ich betend, mit gebrochnen Knien,
Und – horch, die Wachtel schlug! Kühl strich der
Hauch – 40
Und noch zuletzt sah ich, gleich einem Rauch,
Mich leise in der Erde Poren ziehen.

Ich fuhr empor, und schüttelte mich dann,
Wie einer, der dem Scheintod erst entrann,
Und taumelte entlang die dunklen Hage, 45
Noch immer zweifelnd, ob der Stern am Rain
Sei wirklich meiner Schlummerlampe Schein,
Oder das ew'ge Licht am Sarkophage.

Am Bodensee

Über Gelände, matt gedehnt,
Hat Nebelhauch sich wimmelnd gelegt,
Müde, müde die Luft am Strande stöhnt,
Wie ein Ross, das den schlafenden Reiter trägt;
Im Fischerhause kein Lämpchen brennt, 5
Im öden Turme kein Heimchen schrillt,
Nur langsam rollend der Pulsschlag schwillt
In dem zitternden Element.

Ich hör es wühlen am feuchten Strand,
Mir unterm Fuße es wühlen fort, 10
Die Kiesel knistern, es rauscht der Sand,
Und Stein an Stein entbröckelt dem Bord.
An meiner Sohle zerfährt der Schaum,
Eine Stimme klaget im hohlen Grund,
Gedämpft, mit halbgeschlossenem Mund, 15
Wie des grollenden Wetters Traum.

Ich beuge mich lauschend am Turme her,
Sprühregenflitter fährt in die Höh',
Ha, meine Locke ist feucht und schwer!
Was treibst du denn, unruhiger See? 20
Kann dir der heilige Schlaf nicht nahn?
Doch nein, du schläfst, ich seh es genau,
Dein Auge decket die Wimper grau,
Am Ufer schlummert der Kahn.

Hast du so vieles, so vieles erlebt, 25
Dass dir im Traume es kehren muss,
Dass deine gleißende Nerv' erbebt,
Naht ihr am Strand eines Menschen Fuß?
Dahin, dahin! die einst so gesund,
So reich und mächtig, so arm und klein, 30

Und nur ihr flüchtiger Spiegelschein
Liegt zerflossen auf deinem Grund.

Der Ritter, so aus der Burg hervor
Vom Hange trabte in aller Früh;
– Jetzt nickt die Esche vom grauen Tor, 35
Am Zwinger zeichnet die Mylady. –
Das arme Mütterlein, das gebleicht
Sein Leichenhemde den Strand entlang,
Der Kranke, der seinen letzten Gang
An deinem Borde gekeucht; 40

Das spielende Kind, das neckend hier
Sein Schneckenhäuschen geschleudert hat,
Die glühende Braut, die lächelnd dir
Von der Ringelblume gab Blatt um Blatt;
Der Sänger, der mit trunkenem Aug' 45
Das Metrum geplätschert in deiner Flut,
Der Pilger, so am Gesteine geruht,
Sie alle dahin wie Rauch!

Bist du so fromm, alte Wasserfei,
Hältst nur umschlungen, lässt nimmer los? 50
Hat sich aus dem Gebirge die Treu'
Geflüchtet in deinen heiligen Schoß?
O, schau mich an! ich zergeh wie Schaum,
Wenn aus dem Grabe die Distel quillt,
Dann zuckt mein längst zerfallenes Bild 55
Wohl einmal durch deinen Traum!

Das alte Schloss

Auf der Burg haus ich am Berge,
Unter mir der blaue See,
Höre nächtlich Koboldzwerge,
Täglich Adler aus der Höh',
Und die grauen Ahnenbilder 5
Sind mir Stubenkameraden,
Wappentruh' und Eisenschilder
Sofa mir und Kleiderladen.

Schreit ich über die Terrasse
Wie ein Geist am Runenstein; 10
Sehe unter mir die blasse
Alte Stadt im Mondenschein,
Und am Walle pfeift es weidlich,
– Sind es Käuze oder Knaben? –
Ist mir selber oft nicht deutlich, 15
Ob ich lebend, ob begraben!

Mir genüber gähnt die Halle,
Grauen Tores, hohl und lang,
Drin mit wunderlichem Schalle
Langsam dröhnt ein schwerer Gang; 20
Mir zur Seite Riegelzüge,
Ha, ich öffne, lass die Lampe
Scheinen auf der Wendelstiege
Lose modergrüne Rampe,

Die mich lockt wie ein Verhängnis, 25
Zu dem unbekannten Grund;
Ob ein Brunnen? ob Gefängnis?
Keinem Lebenden ist's kund;
Denn zerfallen sind die Stufen,
Und der Steinwurf hat nicht Bahn, 30
Doch als ich hinabgerufen,
Donnert's fort wie ein Orkan.

Ja, wird mir nicht baldigst fade
Dieses Schlosses Romantik,
In den Trümmern, ohne Gnade, 35
Brech ich Glieder und Genick;
Denn, wie trotzig sich die Düne
Mag am flachen Strande heben,
Fühl ich stark mich wie ein Hüne,
Von Zerfallendem umgeben. 40

Gedichte vermischten Inhalts

Mein Beruf

»Was meinem Kreise mich enttrieb,
Der Kammer friedlichem Gelasse?«
Das fragt ihr mich als sei, ein Dieb,
Ich eingebrochen am Parnasse.
So hört denn, hört, weil ihr gefragt: 5
Bei der Geburt bin ich geladen,
Mein Recht soweit der Himmel tagt,
Und meine Macht von Gottes Gnaden.

Jetzt wo hervor der tote Schein
Sich drängt am modervollen Stumpfe, 10
Wo sich der schönste Blumenrain
Wiegt über dem erstorbnen Sumpfe,
Der Geist, ein blutlos Meteor,
Entflammt und lischt im Moorgeschwele,
Jetzt ruft die Stunde: »Tritt hervor, 15
Mann oder Weib, lebend'ge Seele!

Tritt zu dem Träumer, den am Rand
Entschläfert der Datura Odem,
Der, langsam gleitend von der Wand,
Noch zucket gen den Zauberbrodem. 20
Und wo ein Mund zu lächeln weiß
Im Traum, ein Auge noch zu weinen,
Da schmettre laut, da flüstre leis,
Trompetenstoß und West in Hainen!

Tritt näher, wo die Sinnenlust 25
Als Liebe gibt ihr wüstes Ringen,

Und durch der eignen Mutter Brust
Den Pfeil zum Ziele möchte bringen,
Wo selbst die Schande flattert auf,
Ein lustiges Panier zum Siege, 30
Da rüttle hart: ›Wach auf, wach auf,
Unsel'ger, denk an deine Wiege!‹

Denk an das Aug', das überwacht
Noch eine Freude dir bereitet,
Denk an die Hand, die manche Nacht 35
Dein Schmerzenslager dir gebreitet,
Des Herzens denk, das einzig wund
Und einzig selig deinetwegen,
Und dann knie nieder auf den Grund
Und fleh um deiner Mutter Segen! 40

Und wo sich träumen wie in Haft
Zwei einst so glüh ersehnte Wesen,
Als hab' ein Priesterwort die Kraft
Der Banne seligsten zu lösen,
Da flüstre leise: ›Wacht, o wacht! 45
Schaut in das Auge euch, das trübe,
Wo dämmernd sich Erinnrung facht,
Und dann: wach auf, o heil'ge Liebe!‹

Und wo im Schlafe zitternd noch
Vom Opiat die Pulse klopfen, 50
Das Auge dürr, und gäbe doch
Sein Sonnenlicht um einen Tropfen,
O, rüttle sanft! ›Verarmter, senk
Die Blicke in des Äthers Schöne,
Kos einem blonden Kind und denk 55
An der Begeistrung erste Träne.‹«

So rief die Zeit, so ward mein Amt
Von Gottes Gnaden mir gegeben,

So mein Beruf mir angestammt,
Im frischen Mut, im warmen Leben; 60
Ich frage nicht ob ihr mich nennt,
Nicht frönen mag ich kurzem Ruhme,
Doch wisst: wo die Sahara brennt,
Im Wüstensand, steht eine Blume,

Farblos und Duftes bar, nichts weiß 65
Sie als den frommen Tau zu hüten,
Und dem Verschmachtenden ihn leis
In ihrem Kelche anzubieten.
Vorüber schlüpft die Schlange scheu
Und Pfeile ihre Blicke regnen, 70
Vorüber rauscht der stolze Leu,
Allein der Pilger wird sie segnen.

An ***

Kein Wort, und wär' es scharf wie Stahles Klinge,
Soll trennen, was in tausend Fäden eins,
So mächtig kein Gedanke, dass er dringe
Vergällend in den Becher reinen Weins;
Das Leben ist so kurz, das Glück so selten, 5
So großes Kleinod, einmal sein statt gelten!

Hat das Geschick uns, wie in frevlem Witze,
Auf feindlich starre Pole gleich erhöht,
So wisse, dort, dort auf der Scheidung Spitze
Herrscht, König über alle, der Magnet, 10
Nicht frägt er ob ihn Fels und Strom gefährde,
Ein Strahl fährt mitten er durchs Herz der Erde.

Blick in mein Auge – ist es nicht das deine,
Ist nicht mein Zürnen selber deinem gleich?

Du lächelst – und dein Lächeln ist das meine, 15
An gleicher Lust und gleichem Sinnen reich;
Worüber alle Lippen freundlich scherzen,
Wir fühlen heil'ger es im eignen Herzen.

Pollux und Castor, – wechselnd Glühn und Bleichen,
Des einen Licht geraubt dem andern nur, 20
Und doch der allerfrömmsten Treue Zeichen. –
So reiche mir die Hand, mein Dioskur!
Und mag erneuern sich die holde Mythe,
Wo überm Helm die Zwillingsflamme glühte.

Die Taxuswand

Ich stehe gern vor dir,
Du Fläche schwarz und rau,
Du schartiges Visier
Vor meines Liebsten Brau',
Gern mag ich vor dir stehen, 5
Wie vor grundiertem Tuch,
Und drüber gleiten sehen
Den bleichen Krönungszug;

Als mein die Krone hier,
Von Händen die nun kalt; 10
Als man gesungen mir
In Weisen die nun alt;
Vorhang am Heiligtume,
Mein Paradiesestor,
Dahinter alles Blume, 15
Und alles Dorn davor.

Denn jenseits weiß ich sie,
Die grüne Gartenbank,

Wo ich das Leben früh
Mit glühen Lippen trank, 20
Als mich mein Haar umwallte
Noch golden wie ein Strahl,
Als noch mein Ruf erschallte,
Ein Hornstoß, durch das Tal.

Das zarte Efeureis, 25
So Liebe pflegte dort,
Sechs Schritte, – und ich weiß,
Ich weiß dann, dass es fort.
So will ich immer schleichen
Nur an dein dunkles Tuch, 30
Und achtzehn Jahre streichen
Aus meinem Lebensbuch.

Du starrtest damals schon
So düster treu wie heut,
Du, unsrer Liebe Thron 35
Und Wächter manche Zeit;
Man sagt dass Schlaf, ein schlimmer,
Dir aus den Nadeln raucht, –
Ach, wacher war ich nimmer,
Als rings von dir umhaucht! 40

Nun aber bin ich matt,
Und möcht' an deinem Saum
Vergleiten, wie ein Blatt
Geweht vom nächsten Baum;
Du lockst mich wie ein Hafen, 45
Wo alle Stürme stumm,
O, schlafen möcht' ich, schlafen,
Bis meine Zeit herum!

Die Unbesungenen

's gibt Gräber wo die Klage schweigt,
Und nur das Herz von innen blutet,
Kein Tropfen in die Wimper steigt,
Und doch die Lava drinnen flutet;
's gibt Gräber, die wie Wetternacht 5
An unserm Horizonte stehn
Und alles Leben niederhalten,
Und doch, wenn Abendrot erwacht,
Mit ihren goldnen Flügeln wehn
Wie milde Seraphimgestalten. 10

Zu heilig sind sie für das Lied,
Und mächtge Redner doch vor allen,
Sie nennen dir was nimmer schied,
Was nie und nimmer kann zerfallen;
O, wenn dich Zweifel drückt herab, 15
Und möchtest atmen Ätherluft,
Und möchtest schauen Seraphsflügel,
Dann tritt an deines Vaters Grab!
Dann tritt an deines Bruders Gruft!
Dann tritt an deines Kindes Hügel! 20

Das Spiegelbild

Schaust du mich an aus dem Kristall,
Mit deiner Augen Nebelball,
Kometen gleich die im Verbleichen;
Mit Zügen, worin wunderlich
Zwei Seelen wie Spione sich 5
Umschleichen, ja, dann flüstre ich:
Phantom, du bist nicht meinesgleichen!

Bist nur entschlüpft der Träume Hut,
Zu eisen mir das warme Blut,

Die dunkle Locke mir zu blassen; 10
Und dennoch, dämmerndes Gesicht,
Drin seltsam spielt ein Doppellicht,
Trätest du vor, ich weiß es nicht,
Würd' ich dich lieben oder hassen?

Zu deiner Stirne Herrscherthron, 15
Wo die Gedanken leisten Fron
Wie Knechte, würd' ich schüchtern blicken;
Doch von des Auges kaltem Glast,
Voll toten Lichts, gebrochen fast,
Gespenstig, würd', ein scheuer Gast, 20
Weit, weit ich meinen Schemel rücken.

Und was den Mund umspielt so lind,
So weich und hülflos wie ein Kind,
Das möcht in treue Hut ich bergen;
Und wieder, wenn er höhnend spielt, 25
Wie von gespanntem Bogen zielt,
Wenn leis es durch die Züge wühlt,
Dann möcht' ich fliehen wie vor Schergen.

Es ist gewiss, du bist nicht Ich,
Ein fremdes Dasein, dem ich mich 30
Wie Moses nahe, unbeschuhet,
Voll Kräfte die mir nicht bewusst,
Voll fremden Leides, fremder Lust;
Gnade mir Gott, wenn in der Brust
Mir schlummernd deine Seele ruhet! 35

Und dennoch fühl ich, wie verwandt,
Zu deinen Schauern mich gebannt,
Und Liebe muss der Furcht sich einen.
Ja, trätest aus Kristalles Rund,
Phantom, du lebend auf den Grund, 40
Nur leise zittern würd' ich, und
Mich dünkt – ich würde um dich weinen!

Balladen

Der Tod des Erzbischofs Engelbert von Cöln

I

Der Anger dampft, es kocht die Ruhr,
Im scharfen Ost die Halme pfeifen,
Da trabt es sachte durch die Flur,
Da taucht es auf wie Nebelstreifen,
Da nieder rauscht es in den Fluss, 5
Und stemmend gen der Wellen Guss
Es fliegt der Bug, die Hufe greifen.

Ein Schnauben noch, ein Satz, und frei
Das Ross schwingt seine nassen Flanken,
Und wieder eins, und wieder zwei, 10
Bis fünfundzwanzig stehn wie Schranken:
Voran, voran durch Heid und Wald,
Und wo sich wüst das Dickicht ballt,
Da brechen knisternd sie die Ranken.

Am Eichenstamm, im Überwind, 15
Um einen Ast den Arm geschlungen,
Der Isenburger steht und sinnt
Und naget an Erinnerungen.
Ob er vernimmt, was durchs Gezweig
Ihm Rinkerad, der Ritter bleich, 20
Raunt leise wie mit Vögelzungen?

»Graf«, flüstert es, »Graf haltet dicht,
Mich dünkt, als woll' es Euch betören;
Bei Christi Blute, lasst uns nicht
Heim wie gepeitschte Hunde kehren! 25

Wer hat gefesselt Eure Hand,
Den freien Stegreif Euch verrannt?« –
Der Isenburg scheint nicht zu hören.

»Graf«, flüstert es, »wer war der Mann,
Dem zu dem Kreuz die Rose* passte? 30
Wer machte Euren Schwäher dann
In seinem eignen Land zum Gaste?
Und, Graf, wer höhnte Euer Recht,
Wer stempelt Euch zum Pfaffenknecht?« –
Der Isenburg biegt an dem Aste. 35

»Und wer, wer hat Euch zuerkannt,
Im härnen Sünderhemd zu stehen,
Die Schandekerz' in Eurer Hand,
Und alte Vetteln anzuflehen
Um Kyrie und Litanei!?« – 40
Da krachend bricht der Ast entzwei
Und wirbelt in des Sturmes Wehen.

Spricht Isenburg: »Mein guter Fant,
Und meinst du denn ich sei begraben?
O lass mich nur in meiner Hand – 45
Doch ruhig, still, ich höre traben!«
Sie stehen lauschend, vorgebeugt;
Durch das Gezweig der Helmbusch steigt
Und flattert drüber gleich dem Raben.

II

Wie dämmerschaurig ist der Wald 50
An neblichten Novembertagen,
Wie wunderlich die Wildnis hallt
Von Astgestöhn und Windesklagen!

* Zu (dem Kreuz) Cöln die Rose (das Wappen von) Berg, dessen Besitz Engelbert dem Bruder von Isenburgs Gemahlin vorenthielt.

»Horch, Knabe, war das Waffenklang?« –
»Nein, gnäd'ger Herr! ein Vogel sang, 55
Von Sturmesflügeln hergetragen.« –

Fort trabt der mächtige Prälat,
Der kühne Erzbischof von Cöllen,
Er, den der Kaiser sich zum Rat
Und Reichsverweser mochte stellen, 60
Die ehrne Hand der Klerisei, –
Zwei Edelknaben, Reis'ger zwei,
Und noch drei Äbte als Gesellen.

Gelassen trabt er fort, im Traum
Von eines Wunderdomes Schöne, 65
Auf seines Rosses Hals den Zaum,
Er streicht ihm sanft die dichte Mähne,
Die Windesodem senkt und schwellt; –
Es schaudert, wenn ein Tropfen fällt
Von Ast und Laub, des Nebels Träne. 70

Schon schwindelnd steigt das Kirchenschiff,
Schon bilden sich die krausen Zacken –
Da, horch, ein Pfiff und hui, ein Griff,
Ein Helmbusch hier, ein Arm im Nacken!
Wie Schwarzwildrudel bricht's heran, 75
Die Äbte fliehn wie Spreu, und dann
Mit Reisigen sich Reis'ge packen.

Ha, schnöder Strauß! zwei gegen zehn!
Doch hat der Fürst sich losgerungen,
Er peitscht sein Tier und mit Gestöhn 80
Hat's übern Hohlweg sich geschwungen;
Die Gerte pfeift – »Weh, Rinkerad!« –
Vom Rosse gleitet der Prälat
Und ist ins Dickicht dann gedrungen.

»Hussa, hussa, erschlagt den Hund, 85
Den stolzen Hund!« und eine Meute
Fährt's in den Wald, es schließt ein Rund,
Dann vor – und rückwärts und zur Seite;
Die Zweige krachen – ha es naht –
Am Buchenstamm steht der Prälat 90
Wie ein gestellter Eber heute.

Er blickt verzweifelnd auf sein Schwert,
Er löst die kurze breite Klinge,
Dann prüfend untern Mantel fährt
Die Linke nach dem Panzerringe; 95
Und nun wohlan, er ist bereit,
Ja männlich focht der Priester heut,
Sein Streich war eine Flammenschwinge.

Das schwirrt und klingelt durch den Wald,
Die Blätter stäuben von den Eichen, 100
Und über Arm und Schädel bald
Blutrote Rinnen tröpfeln, schleichen;
Entwaffnet der Prälat noch ringt,
Der starke Mann, da zischend dringt
Ein falscher Dolch ihm in die Weichen. 105

Ruft Isenburg: »Es ist genug,
Es ist zu viel!« und greift die Zügel;
Noch sah er wie ein Knecht ihn schlug,
Und riss den Wicht am Haar vom Bügel.
»Es ist zu viel, hinweg, geschwind!« 110
Fort sind sie, und ein Wirbelwind
Fegt ihnen nach wie Eulenflügel. – –

Des Sturmes Odem ist verrauscht,
Die Tropfen glänzen an dem Laube,
Und über Blutes Lachen lauscht 115
Aus hohem Loch des Spechtes Haube;

Was knistert nieder von der Höh'
Und schleppt sich wie ein krankes Reh?
Ach armer Knabe, wunde Taube!

»Mein gnädiger, mein lieber Herr, 120
So mussten dich die Mörder packen?
Mein frommer, o mein Heiliger!«
Das Tüchlein zerrt er sich vom Nacken,
Er drückt es auf die Wunde dort,
Und hier und drüben, immerfort, 125
Ach, Wund' an Wund' und blut'ge Zacken!

»Ho, holla ho!« – dann beugt er sich
Und späht, ob noch der Odem rege;
War's nicht als wenn ein Seufzer schlich,
Als wenn ein Finger sich bewege? – 130
»Ho, holla ho!« – »Hallo, hoho!«
Schallt's wieder um, des war er froh:
»Sind unsre Reuter allewege!«

III

Zu Cöln am Rheine kniet ein Weib
Am Rabensteine unterm Rade, 135
Und überm Rade liegt ein Leib,
An dem sich weiden Kräh' und Made;
Zerbrochen ist sein Wappenschild,
Mit Trümmern seine Burg gefüllt,
Die Seele steht bei Gottes Gnade. 140

Den Leib des Fürsten hüllt der Rauch
Von Ampeln und von Weihrauchschwelen –
Um seinen qualmt der Moderhauch
Und Hagel peitscht der Rippen Höhlen;
Im Dome steigt ein Trauerchor, 145
Und ein Tedeum stieg empor
Bei seiner Qual aus tausend Kehlen.

Und wenn das Rad der Bürger sieht,
Dann lässt er rasch sein Rösslein traben,
Doch eine bleiche Frau die kniet, 150
Und scheucht mit ihrem Tuch die Raben:
Um sie mied er die Schlinge nicht,
Er war ihr Held, er war ihr Licht –
Und ach, der Vater ihrer Knaben!

Der Fundator

Im Westen schwimmt ein falber Strich,
Der Abendstern entzündet sich
Grad überm Sankt Georg am Tore;
Schwer haucht der Dunst vom nahen Moore.
Schlaftrunkne Schwäne kreisen sacht 5
Ums Eiland, wo die graue Wacht
Sich hebt aus Wasserbins' und Rohre.

Auf ihrem Dach die Fledermaus,
Sie schaukelt sich, sie breitet aus
Den Rippenschirm des Schwingenfloßes, 10
Und, mit dem Schwirren des Geschosses,
Entlang den Teich, hinauf, hinab,
Dann klammert sie am Fensterstab,
Und blinzt in das Gemach des Schlosses.

Ein weit Gelass, im Sammetstaat! 15
Wo einst der mächtige Prälat
Des Hauses Chronik hat geschrieben.
Frisch ist der Baldachin geblieben,
Der güldne Tisch, an dem er saß,
Und seine Seelenmesse las 20
Man heut in der Kapelle drüben.

Heut sind es grade hundert Jahr,
Seit er gelegen auf der Bahr'
Mit seinem Kreuz und Silberstabe.
Die ewge Lamp' an seinem Grabe 25
Hat heute hundert Jahr gebrannt.
In seinem Sessel an der Wand
Sitzt heut ein schlichter alter Knabe.

Des Hauses Diener, Sigismund,
Harrt hier der Herrschaft, Stund' auf Stund': 30
Schon kam die Nacht mit ihren Flören,
Oft glaubt die Kutsche er zu hören,
Ihr Quitschern in des Weges Kies,
Er richtet sich – doch nein – es blies
Der Abendwind nur durch die Föhren. 35

's ist eine Dämmernacht, genau
Gemacht für Alp und weiße Frau.
Dem Junkerlein ward es zu lange,
Dort schläft es hinterm Damasthange.
Die Chronik hält der Alte noch, 40
Und blättert fort im Finstern, doch
Im Ohre summt es gleich Gesange:

»So hab ich dieses Schloss erbaut,
Ihm mein Erworbnes anvertraut,
Zu des Geschlechtes Nutz und Walten; 45
Ein neuer Stamm sprießt aus dem alten,
Gott segne ihn! Gott mach' ihn groß! –«
Der Alte horcht, das Buch vom Schoß
Schiebt sacht er in der Lade Spalten:

Nein – durch das Fenster ein und aus 50
Zog schrillend nur die Fledermaus;
Nun schießt sie fort. – Der Alte lehnet
Am Simse. Wie der Teich sich dehnet

Ums Eiland, wo der Warte Rund
Sich tief schattiert im matten Grund. 55
Das Röhricht knirrt, die Unke stöhnet.

Dort, denkt der Greis, dort hat gewacht
Der alte Kirchenfürst, wenn Nacht
Sich auf den Weiher hat ergossen.
Dort hat den Reiher er geschossen, 60
Und zugeschaut des Schlosses Bau,
Sein weiß Habit, sein Auge grau,
Lugt' drüben an den Fenstersprossen.

Wie scheint der Mond so kümmerlich!
– Er birgt wohl hinterm Tanne sich – 65
Schaut nicht der Turm wie 'ne Laterne,
Verhauchend, dunstig, aus der Ferne!
Wie steigt der blaue Duft im Rohr,
Und rollt sich am Gesims empor!
Wie seltsam blinken heut die Sterne! 70

Doch ha! – er blinzt, er spannt das Aug',
Denn dicht und dichter schwillt der Rauch,
Als ob ein Docht sich langsam fache,
Entzündet sich im Turmgemache
Wie Mondenschein ein graues Licht, 75
Und dennoch – dennoch – las er nicht,
Nicht Neumond heut im Almanache? –

Was ist das? deutlich, nur getrübt
Vom Dunst der hin und wieder schiebt,
Ein Tisch, ein Licht, in Turmes Mitten, 80
Und nun, – nun kömmt es hergeschritten,
Ganz wie ein Schatten an der Wand,
Es hebt den Arm, es regt die Hand, –
Nun ist es an den Tisch geglitten.

Und nieder sitzt es, langsam, steif, 85
Was in der Hand? – ein weißer Streif! –
Nun zieht es etwas aus der Scheiden
Und fingert mit den Händen beiden,
Ein Ding, – ein Stäbchen ungefähr, –
Dran fährt es langsam hin und her, 90
Es scheint die Feder anzuschneiden.

Der Diener blinzt und blinzt hinaus:
Der Schemen schwankt und bleichet aus,
Noch sieht er es die Feder tunken,
Da drüber gleitet es wie Funken, 95
Und in demselbigen Moment
Ist alles in das Element
Der spurlos finstern Nacht versunken.

Noch immer steht der Sigismund,
Noch starrt er nach der Warte Rund, 100
Ihn dünkt, des Weihers Flächen rauschen,
Weit beugt er übern Sims, zu lauschen;
Ein Ruder! – nein, die Schwäne ziehn!
Grad hört er längs dem Ufergrün
Sie sacht ihr tiefes Schnarchen tauschen. 105

Er schließt das Fenster. – »Licht, o Licht!« –
Doch mag das Junkerlein er nicht
So plötzlich aus dem Schlafe fassen,
Noch minder es im Saale lassen.
Sacht schiebt er sich dem Sessel ein, 110
Zieht sein korallnes Nösterlein,
– Was klingelt drüben an den Tassen? –

Nein – eine Fliege schnurrt im Glas!
Dem Alten wird die Stirne nass;
Die Möbeln stehn wie Totenmale, 115
Es regt und rüttelt sich im Saale,

Allmählich weicht die Tür zurück,
Und in demselben Augenblick
Schlägt an die Dogge im Portale.

Der Alte drückt sich dicht zuhauf, 120
Er lauscht mit Doppelsinnen auf,
– Ja! am Parkett ein leises Streichen,
Wie Wiesel nach der Stiege schleichen –
Und immer härter, Tapp an Tapp,
Wie mit Sandalen, auf und ab, 125
Es kömmt – es naht – er hört es keuchen; –

Sein Sessel knackt! – ihm schwimmt das Hirn –
Ein Odem, dicht an seiner Stirn!
Da fährt er auf und wild zurücke;
Errafft das Kind mit blindem Glücke 130
Und stürzt den Korridor entlang.
O, Gott sei Dank! ein Licht im Gang,
Die Kutsche rasselt auf die Brücke!

Vorgeschichte (Second sight)

Kennst du die Blassen im Heideland,
Mit blonden flächsenen Haaren?
Mit Augen so klar wie an Weihers Rand
Die Blitze der Welle fahren?
O sprich ein Gebet, inbrünstig, echt, 5
Für die Seher der Nacht, das gequälte Geschlecht.

So klar die Lüfte, am Äther rein
Träumt nicht die zarteste Flocke,
Der Vollmond lagert den blauen Schein
Auf des schlafenden Freiherrn Locke, 10
Hernieder bohrend in kalter Kraft
Die Vampirzunge, des Strahles Schaft.

Der Schläfer stöhnt, ein Traum voll Not
Scheint seine Sinne zu quälen,
Es zuckt die Wimper, ein leises Rot 15
Will über die Wange sich stehlen;
Schau, wie er woget und rudert und fährt,
Wie einer so gegen den Strom sich wehrt.

Nun zuckt er auf – ob ihn geträumt,
Nicht kann er sich dessen entsinnen – 20
Ihn fröstelt, fröstelt, ob's drinnen schäumt
Wie Fluten zum Strudel rinnen;
Was ihn geängstet, er weiß es auch:
Es war des Mondes giftiger Hauch.

O Fluch der Heide, gleich Ahasver 25
Unterm Nachtgestirne zu kreisen!
Wenn seiner Strahlen züngelndes Meer
Aufbohret der Seele Schleusen,
Und der Prophet, ein verzweifelnd Wild,
Kämpft gegen das mählich steigende Bild. 30

Im Mantel schaudernd misst das Parkett
Der Freiherr die Läng' und Breite,
Und wo am Boden ein Schimmer steht,
Weitaus er beuget zur Seite,
Er hat einen Willen und hat eine Kraft, 35
Die sollen nicht liegen in Blutes Haft.

Es will ihn krallen, es saugt ihn an,
Wo Glanz die Scheiben umgleitet,
Doch langsam weichend, Spann' um Spann',
Wie ein wunder Edelhirsch schreitet, 40
In immer engerem Kreis gehetzt,
Des Lagers Pfosten ergreift er zuletzt.

Da steht er keuchend, sinnt und sinnt,
Die müde Seele zu laben,

Denkt an sein liebes einziges Kind, 45
Seinen zarten, schwächlichen Knaben,
Ob dessen Leben des Vaters Gebet
Wie eine zitternde Flamme steht.

Hat er des Kleinen Stammbaum doch
Gestellt an des Lagers Ende, 50
Nach dem Abendkusse und Segen noch
Drüber brünstig zu falten die Hände;
Im Monde flimmernd das Pergament
Zeigt Schild an Schilder, schier ohne End'.

Rechtsab des eigenen Blutes Gezweig, 55
Die alten freiherrlichen Wappen,
Drei Rosen im Silberfelde bleich,
Zwei Wölfe schildhaltende Knappen,
Wo Ros' an Rose sich breitet und blüht,
Wie überm Fürsten der Baldachin glüht. 60

Und links der milden Mutter Geschlecht,
Der Frommen in Grabeszellen,
Wo Pfeil' an Pfeile, wie im Gefecht,
Durch blaue Lüfte sich schnellen.
Der Freiherr seufzt, die Stirn gesenkt, 65
Und – steht am Fenster, bevor er's denkt.

Gefangen! gefangen im kalten Strahl!
In dem Nebelnetze gefangen!
Und fest gedrückt an der Scheib' Oval,
Wie Tropfen am Glase hangen, 70
Verfallen sein klares Nixenaug',
Der Heidequal in des Mondes Hauch.

Welch ein Gewimmel! – er muss es sehn,
Ein Gemurmel! – er muss es hören,
Wie eine Säule, so muss er stehn, 75

Kann sich nicht regen noch kehren.
Es summt im Hofe ein dunkler Hauf,
Und einzelne Laute dringen hinauf.

Hei! eine Fackel! sie tanzt umher,
Sich neigend, steigend in Bogen, 80
Und nickend, zündend, ein Flammenheer
Hat den weiten Estrich umzogen.
All schwarze Gestalten im Trauerflor
Die Fackeln schwingen und halten empor.

Und alle gereihet am Mauerrand, 85
Der Freiherr kennet sie alle;
Der hat ihm so oft die Büchse gespannt,
Der pflegte die Ross' im Stalle,
Und der so lustig die Flasche leert,
Den hat er siebenzehn Jahre genährt. 90

Nun auch der würdige Kastellan,
Die breite Pleureuse am Hute,
Den sieht er langsam, schlurfend nahn,
Wie eine gebrochene Rute;
Noch deckt das Pflaster die dürre Hand, 95
Versengt erst gestern an Herdes Brand.

Ha, nun das Ross! aus des Stalles Tür,
In schwarzem Behang und Flore;
O, ist's Achill, das getreue Tier?
Oder ist's seines Knaben Medore? 100
Er starret, starrt und sieht nun auch,
Wie es hinkt, vernagelt nach altem Brauch.

Entlang der Mauer das Musikchor,
In Krepp gehüllt die Posaunen,
Haucht prüfend leise Kadenzen hervor, 105
Wie träumende Winde raunen;

Dann alles still. O Angst! o Qual!
Es tritt der Sarg aus des Schlosses Portal.

Wie prahlen die Wappen, farbig grell
Am schwarzen Sammet der Decke. 110
Ha! Ros' an Rose, der Todesquell
Hat gespritzet blutige Flecke!
Der Freiherr klammert das Gitter an:
»Die andre Seite!« stöhnet er dann.

Da langsam wenden die Träger, blank 115
Mit dem Monde die Schilder kosen.
»O«, – seufzt der Freiherr – »Gott sei Dank!
Kein Pfeil, kein Pfeil, nur Rosen!«
Dann hat er die Lampe still entfacht,
Und schreibt sein Testament in der Nacht. 120

Der Graue

Im Walde steht die kleine Burg,
Aus rohem Quaderstein gefugt,
Mit Schart' und Fensterlein, wodurch
Der Doppelhaken einst gelugt;
Am Teiche rauscht des Rohres Speer, 5
Die Brücke wiegt und knarrt im Sturm,
Und in des Hofes Mitte, schwer,
Plump wie ein Mörser, steht der Turm.

Da siehst du jetzt umhergestellt
Manch feuerrotes Ziegeldach, 10
Und wie der Stempel steigt und fällt,
So pfeift die Dampfmaschine nach;
Es knackt die Form, der Bogen schrillt,
Es dunstet Scheidewassers Näh',

Und überm grauen Wappenschild 15
Liest man: Moulin à papier.

Doch wie der Kessel quillt und schäumt,
Den Brüssler Kaufherrn freut es kaum,
Der hatte einmal sich geträumt
Von Land und Luft den feinsten Traum; 20
Das war so recht ein Fleckchen, sich
Zu retten aus der Zahlen Haft!
Nicht groß, und doch ganz adelich,
Und brauchte wenig Dienerschaft.

Doch eine Nacht nur macht' er sich 25
Bequem es – oder unbequem –
In seinem Schlösschen, und er strich
Nur wie ein Vogel dran seitdem.
Sah dann er zu den Fenstern auf,
Verschlossen wie die Sakristei'n, 30
So zog er wohl die Schultern auf,
Mit einem Seufzer, oder zwei'n.

Es war um die Septemberzeit,
Als, schürend des Kamines Brand,
Gebückt, in regenfeuchtem Kleid, 35
Der Hausherr in der Halle stand,
Er und die Gäste, all' im Rauch;
Van Neelen, Redel, Verney, Dahm,
Und dann der blonde Waller auch,
Der eben erst aus Smyrna kam. 40

Im Schlote schnob der Wind, es goss
Der Regen sprudelnd sich vom Dach,
Und wenn am Brand ein Flämmchen schoss,
Schien doppelt öde das Gemach.
Die Gäste waren all' zur Hand, 45

Erleichternd ihres Wirtes Müh';
Van Neelen nur am Fenster stand,
Und schimpfte auf die Landpartie.

Doch nach und nach mag's besser gehn,
Schon hat der Wind die Glut gefacht, 50
Den Regen lässt man draußen stehn,
Champagnerflaschen sind gebracht.
Die Leuchter hatten wenig Wert,
Es ging wie beim Studentenfest:
Sobald die Flasche ist geleert, 55
Wird eine Kerze drauf gepresst.

Je mehr es fehlt, so mehr man lacht,
Der Wein ist heiß, die Kost gewählt,
Manch derbes Späßchen wird gemacht,
Und mancher feine Streich erzählt. 60
Zuletzt von Wein und Reden glüh,
Rückt seinen Stuhl der Herr vom Haus:
»Ich lud Euch zu 'ner Landpartie,
Es ward 'ne Wasserfahrt daraus.

Doch da die allerschönste Fracht 65
Am Ende nach dem Hafen schifft,
So, meine Herren, gute Nacht!
Und nehmt vorlieb, wie es sich trifft.«
Da lachend nach den Flaschen greift
Ein jeder. – Türen auf und zu. – 70
Und Waller, noch im Gehen, streift
Aus seinem Frack den Ivanhoe.

———

Es war tief in die Nacht hinein,
Und draußen heulte noch der Sturm,
Schnob zischend an dem Fensterstein 75
Und drillt den Glockenstrang am Turm.

In seinem Bette Waller lag,
Und las so scharf im Ivanhoe,
Dass man gedacht, bevor es Tag
Sei Englands Königreich in Ruh. 80

Er sah nicht, dass die Kerze tief
Sich brannte in der Flasche Rand,
Der Talg in schweren Tropfen lief,
Und drunten eine Lache stand.
Wie träumend hört' er das Geknarr 85
Der Fenster, vom Rouleau gedämpft,
Und wie die Türe mit Geschnarr
In ihren Angeln zuckt und kämpft.

Sehr freut er sich am Bruder Tuck,
– Die Sehne schwirrt, es rauscht der Hain – 90
Da plötzlich ein gewalt'ger Ruck,
Und, hui! die Scheibe klirrt hinein.
Er fuhr empor, – weg war der Traum –
Und deckte mit der Hand das Licht,
Ha! wie so wüst des Zimmers Raum! 95
Selbst ein romantisches Gedicht!

Der Sessel feudalistisch Gold –
Am Marmortisch die Greifenklau' –
Und überm Spiegel flatternd rollt,
Ein Banner, der Tapete Blau, 100
Im Zug der durch die Lücke schnaubt;
Die Ahnenbilder leben fast,
Und schütteln ihr behelmtes Haupt
Ergrimmt ob dem plebejen Gast.

Der blonde Waller machte gern 105
Sich selber einen kleinen Graus,
So nickt er spöttisch gen die Herrn,
Als fordert' er sie keck heraus.

Die Glocke summt – schon eins fürwahr!
Wie eine Boa dehnt' er sich, 110
Und sah nach dem Pistolenpaar,
Dann rüstet er zum Schlafe sich.

Die Flasche hob er einmal noch
Und leuchtete die Wände an,
Ganz wie 'ne alte Halle doch 115
Aus einem Scottischen Roman!
Und – ist das Nebel oder Rauch,
Was durch der Türe Spalten quillt,
Und, wirbelnd in des Zuges Hauch,
Die dunstigen Paneele füllt? 120

Ein Ding – ein Ding – wie Grau in Grau,
Die Formen schwanken – sonderbar! –
Doch, ob der Blick sich schärft? den Bau
Von Gliedern nimmt er mählich wahr.
Wie überm Eisenhammer, schwer 125
Und schwarz, des Rauches Säule wallt;
Ein Zucken flattert drüben her,
Doch – hat es menschliche Gestalt!

Er war ein hitziger Kumpan,
Wenn Wein die Lava hat geweckt. 130
»Qui vive!« – und leise knackt der Hahn,
Der Waller hat den Arm gestreckt:
»Qui vive!« – 'ne Pause, – »ou je tire!«
Und aus dem Lauf die Kugel knallt;
Er hört sie schlagen an die Tür, 135
Und abwärts prallen mit Gewalt.

Der Schuss dröhnt am Gewölbe nach,
Und, eine schwere Nebelschicht,
Füllt Pulverbrodem das Gemach;
Er teilt sich, schwindet, das Gesicht 140

Steht in des Zimmers Mitte jetzt,
Ganz wie ein graues Bild von Stein,
Die Formen scharf und unverletzt,
Die Züge edel, streng und rein.

Auf grauer Locke grau Barett, 145
Mit grauer Hahnenfeder drauf.
Der Waller hat so sacht und nett
Sich hergelangt den zweiten Lauf.
Noch zögert er – ist es ein Bild,
Wär's zu zerschießen lächerlich; 150
Und wär's ein Mensch – das Blut ihm quillt –
Ein Geck, der unterfinge sich –?!

Ein neuer Ruck, und wieder Knall
Und Pulverrauch – war das Gestöhn?
Er hörte keiner Kugel Prall – 155
Es ist vorüber! ist geschehn!
Der Waller zuckt: »Verdammtes Hirn!«
Mit einmal ist er kalt wie Eis,
Der Angstschweiß tritt ihm auf die Stirn,
Er starret in den Nebelkreis. 160

Ein Ächzen! oder Windeshauch! –
Doch nein, der Scheibensplitter schwirrt.
O Gott, es zappelt! – nein – der Rauch
Gedrängt vom Zuge schwankt und irrt;
Es wirbelt aufwärts, woget, wallt, 165
Und, wie ein graues Bild von Stein,
Steht nun am Bette die Gestalt,
Da, wo der Vorhang sinkt hinein.

Und drüber knistert's, wie von Sand,
Wie Funke, der elektrisch lebt; 170
Nun zuckt ein Finger – nun die Hand –
Allmählich nun ein Fuß sich hebt, –

Hoch – immer höher – Waller winkt;
Dann macht er schnell gehörig Raum,
Und langsam in die Kissen sinkt 175
Es schwer, wie ein gefällter Baum.

»Ah, je te tiens!« er hat's gepackt,
Und schlingt die Arme wie 'nen Strick, –
Ein Leichnam! todessteif und nackt!
Mit einem Ruck fährt er zurück; 180
Da wälzt es langsam, schwer wie Blei,
Sich gleich dem Mühlstein über ihn;
Da tat der Waller einen Schrei,
Und seine Sinne waren hin.

Am nächsten Morgen fand man kalt 185
Ihn im Gemache ausgestreckt;
's war eine Ohnmacht nur, und bald
Ward zum Bewusstsein er geweckt.
Nicht irre war er, nur gepresst,
Und fragt': »Ob keiner ward gestört?« 190
Doch alle schliefen überfest,
Nicht einer hat den Schuss gehört.

So ward es denn für Traum sogleich,
Und alles für den Alp erkannt;
Doch zog man sich aus dem Bereich, 195
Und trollte hurtig über Land.
Sie waren alle viel zu klug,
Und vollends zu belesen gar;
Allein der blonde Waller trug
Seit dieser Nacht eisgraues Haar. 200

Das Fräulein von Rodenschild

Sind denn so schwül die Nächt' im April?
Oder ist so siedend jungfräulich Blut?
Sie schließt die Wimper, sie liegt so still,
Und horcht des Herzens pochender Flut.
»O will es denn nimmer und nimmer tagen! 5
O will denn nicht endlich die Stunde schlagen!
Ich wache, und selbst der Seiger ruht!

Doch horch! es summt, eins, zwei und drei, –
Noch immer fort? – sechs, sieben und acht,
Elf, zwölf, – o Himmel, war das ein Schrei? 10
Doch nein, Gesang steigt über der Wacht,
Nun wird mir's klar, mit frommem Munde
Begrüßt das Hausgesinde die Stunde,*
Anbrach die hochheilige Osternacht.«

Seitab das Fräulein die Kissen stößt, 15
Und wie eine Hinde vom Lager setzt,
Sie hat des Mieders Schleifen gelöst,
Ins Häubchen drängt sie die Locken jetzt,
Dann leise das Fenster öffnend, leise,
Horcht sie der mählich schwellenden Weise, 20
Vom wimmernden Schrei der Eule durchsetzt.

O dunkel die Nacht! und schaurig der Wind!
Die Fahnen wirbeln am knarrenden Tor, –
Da tritt aus der Halle das Hausgesind'
Mit Blendlaternen und einzeln vor. 25
Der Pförtner dehnet sich, halb schon träumend,
Am Dochte zupfet der Jäger säumend,
Und wie ein Oger gähnet der Mohr.

* Es bestand, und besteht hier und dort noch in katholischen Ländern die Sitte, am Vorabende des Oster- und Weihnachtstages den zwölften Glockenschlag abzuwarten, um den Eintritt des Festes mit einem frommen Liede zu begrüßen.

Was ist? – wie das auseinanderschnellt!
In Reihen ordnen die Männer sich, 30
Und eine Wacht vor die Dirnen stellt
Die graue Zofe sich ehrbarlich,
»Ward ich gesehn an des Vorhangs Lücke?
Doch nein, zum Balkone starren die Blicke,
Nun langsam wenden die Häupter sich.« 35

O weh meine Augen! bin ich verrückt?
Was gleitet entlang das Treppengeländ?
Hab ich nicht so aus dem Spiegel geblickt?
Das sind meine Glieder, – welch ein Geblend'!
Nun hebt es die Hände, wie Zwirnes Flocken, 40
Das ist mein Strich über Stirn und Locken! –
Weh, bin ich toll, oder nahet mein End'!«

Das Fräulein erbleicht und wieder erglüht,
Das Fräulein wendet die Blicke nicht,
Und leise rührend die Stufen zieht 45
Am Steingelände das Nebelgesicht,
In seiner Rechten trägt es die Lampe,
Ihr Flämmchen zittert über der Rampe,
Verdämmernd, blau, wie ein Elfenlicht.

Nun schwebt es unter dem Sternendom, 50
Nachtwandlern gleich in Traumes Geleit,
Nun durch die Reihen zieht das Phantom,
Und jeder tritt einen Schritt zur Seit'. –
Nun lautlos gleitet's über die Schwelle, –
Nun wieder drinnen erscheint die Helle, 55
Hinauf sich windend die Stiegen breit.

Das Fräulein hört das Gemurmel nicht,
Sieht nicht die Blicke, stier und verscheucht,
Fest folgt ihr Auge dem bläulichen Licht,
Wie dunstig über die Scheiben es streicht. 60

– Nun ist's im Saale – nun im Archive –
Nun steht es still an der Nische Tiefe –
Nun matter, matter, – ha! es erbleicht!

»Du sollst mir stehen! ich will dich fahn!«
Und wie ein Aal die beherzte Maid 65
Durch Nacht und Krümmen schlüpft ihre Bahn,
Hier droht ein Stoß, dort häkelt das Kleid,
Leis tritt sie, leise, o Geistersinne
Sind scharf! dass nicht das Gesicht entrinne!
Ja, mutig ist sie, bei meinem Eid! 70

Ein dunkler Rahmen, Archives Tor;
– Ha, Schloss und Riegel! – sie steht gebannt,
Sacht, sacht das Auge und dann das Ohr
Drückt zögernd sie an der Spalte Rand,
Tiefdunkel drinnen – doch einem Rauschen 75
Der Pergamente glaubt sie zu lauschen,
Und einem Streichen entlang der Wand.

So niederkämpfend des Herzens Schlag,
Hält sie den Odem, sie lauscht, sie neigt –
Was dämmert ihr zur Seite gemach? 80
Ein Glühwurmleuchten – es schwillt, es steigt,
Und Arm an Arme, auf Schrittes Weite,
Lehnt das Gespenst an der Pforte Breite,
Gleich ihr zur Nachbarspalte gebeugt.

Sie fährt zurück, – das Gebilde auch – 85
Dann tritt sie näher – so die Gestalt –
Nun stehen die beiden, Auge in Aug',
Und bohren sich an mit Vampires Gewalt.
Das gleiche Häubchen decket die Locken,
Das gleiche Linnen, wie Schnees Flocken, 90
Gleich ordnungslos um die Glieder wallt.

Langsam das Fräulein die Rechte streckt,
Und langsam, wie aus der Spiegelwand,
Sich Linie um Linie entgegenreckt
Mit gleichem Rubine die gleiche Hand; 95
Nun rührt sich's – die Lebendige spüret
Als ob ein Luftzug schneidend sie rühret,
Der Schemen dämmert, – zerrinnt – entschwand.

Und wo im Saale der Reihen fliegt,
Da siehst ein Mädchen du, schön und wild, 100
– Vor Jahren hat's eine Weile gesiecht –
Das stets in den Handschuh die Rechte hüllt.
Man sagt, kalt sei sie wie Eises Flimmer,
Doch lustig die Maid, sie hieß ja immer:
»Das tolle Fräulein von Rodenschild.« 105

Die Schwestern

I

Sacht pochet der Käfer im morschen Schrein,
Der Mond steht über den Fichten.
»Jesus Maria, wo mag sie sein!
Hin will meine Angst mich richten.
Helene, Helene, was ließ ich dich gehn 5
Allein zur Stadt mit den Hunden,
Du armes Kind, das sterbend mir
Auf die Seele die Mutter gebunden!«

Und wieder rennt Gertrude den Weg
Hinauf bis über die Steige. 10
Hier ist ein Tobel – sie lauscht am Steg,
Ein Strauch – sie rüttelt am Zweige.
Da drunten summet es elf im Turm,
Gertrude kniet an der Halde:

»Du armes Blut, du verlassener Wurm! 15
Wo magst du irren im Walde!«

Und zitternd löst sie den Rosenkranz
Von ihres Gürtels Gehänge,
Ihr Auge starret in trübem Glanz,
Ob es die Dämmerung sprenge. 20
»Ave Maria – ein Licht, ein Licht!
Sie kömmt, 's ist ihre Laterne!
– Ach Gott, es ist nur ein Hirtenfeur,
Jetzt wirft es flatternde Sterne.

Vater unser, der du im Himmel bist 25
Geheiliget werde dein Name« –
Es rauscht am Hange, »heiliger Christ!«
Es bricht und knistert im Brahme,
Und drüber streckt sich ein schlanker Hals,
Zwei glänzende Augen starren. 30
»Ach Gott, es ist eine Hinde nur,
Jetzt setzt sie über die Farren.«

Gertrude klimmt die Halde hinauf,
Sie steht an des Raines Mitte.
Da – täuscht ihr Ohr? – ein flüchtiger Lauf, 35
Behänd galoppierende Tritte –
Und um sie springt es in wüstem Kreis,
Und funkelt mit freud'gem Gestöhne.
»Fidel, Fidel!« so flüstert sie leis,
Dann ruft sie schluchzend: »Helene!« 40

»Helene!« schallt es am Felsenhang,
»Helen'!« von des Waldes Kante,
Es war ein einsamer trauriger Klang,
Den heimwärts die Echo sandte.
Wo drunten im Tobel das Mühlrad wacht, 45
Die staubigen Knecht' an der Wanne

Die haben gehorcht die ganze Nacht
Auf das irre Gespenst im Tanne.

Sie hörten sein Rufen von Stund' zu Stund',
Sahn seiner Laterne Geflimmer, 50
Und schlugen ein Kreuz auf Brust und Mund,
Zog über den Tobel der Schimmer.
Und als die Müllerin Reisig las,
Frühmorgens an Waldes Saume,
Da fand sie die arme Gertrud im Gras, 55
Die ängstlich zuckte im Traume.

II

Wie rollt in den Gassen das Marktgebraus!
Welch ein Getümmel, Geblitze!
Hanswurst schaut über die Bude hinaus,
Und winkt mit der klingelnden Mütze; 60
Karossen rasseln, der Trinker jucht,
Und Mädchen schrein im Gedränge,
Drehorgeln pfeifen, der Kärrner flucht,
O Babels würdige Klänge!

Da tritt ein Weib aus der Ladentür, 65
Eine schlichte Frau von den Flühen,
Die stieß an den klingelnden Harlekin schier,
Und hat nicht gelacht noch geschrien.
Ihr mattes Auge sucht auf dem Grund,
Als habe sie etwas verloren, 70
Und hinter ihr trabt ein zottiger Hund,
Verdutzt, mit hängenden Ohren.

»Zurück, Verwegne! siehst du denn nicht
Den Wagen, die schnaubenden Braunen?«
Schon dampfen die Nüstern ihr am Gesicht, 75
Da fährt sie zurück mit Staunen,

Und ist noch über die Rinne grad
Mit raschem Sprunge gewichen,
Als an die Schürze das klirrende Rad
In wirbelndem Schwunge gestrichen. 80

Noch ein Moment, – sie taumelt, erbleicht,
Und dann ein plötzlich Erglühen,
O schau, wie durch das Gewühl sie keucht,
Mit Armen und Händen und Knien!
Sie rudert, sie windet sich, – Stoß auf Stoß, 85
Scheltworte und Flüche wie Schlossen –
Das Fürtuch reißt, dann flattert es los,
Und ist in die Rinne geflossen.

Nun steht sie vor einem stattlichen Haus,
Ohne Schuh, besudelt mit Kote; 90
Dort hält die Karosse, dort schnauben aus
Die Braunen und rauchen wie Schlote.
Der Schlag ist offen, und eben sieht
Sie im Portale verschwinden
Eines Kleides Falte, die purpurn glüht, 95
Und den Schleier, segelnd in Winden.

»Ach« flüstert Gertrude, »was hab ich gemacht,
Ich bin wohl verrückt geworden!
Kein Trost bei Tag, keine Ruh bei Nacht,
Das kann die Sinne schon morden.« 100
Da poltert es schreiend die Stiegen hinab,
Ein Fußtritt aus dem Portale,
Und wimmernd rollt von der Rampe herab
Ihr Hund, der zottige, fahle.

»Ja« seufzt Gertrude, »nun ist es klar, 105
Ich bin eine Irre leider!«
Erglühend streicht sie zurück ihr Haar,
Und ordnet die staubigen Kleider.

»Wie sah ich so deutlich ihr liebes Gesicht,
So deutlich am Schlage doch ragen! 110
Allein in Ewigkeit hätte s i e nicht
Den armen Fidel geschlagen.«

III

Zehn Jahre! – und mancher der keck umher
Die funkelnden Blicke geschossen,
Der schlägt sie heute zu Boden schwer, 115
Und mancher hat sie geschlossen.
Am Hafendamme geht eine Frau,
– Mich dünkt, wir müssen sie kennen,
Ihr Haar einst schwarz, nun schillerndes Grau,
Und hohl die Wangen ihr brennen. 120

Im Topfe trägt sie den Honigwab,
Zergehend in Julius-Hitze;
Die Trägerin trocknet den Schweiß sich ab,
Und ruft dem hinkenden Spitze.
Der sie bestellte, den Schiffspatron, 125
Sieht über die Planke sie kommen;
Wird er ihr kümmern den kargen Lohn?
Gertrude denkt es beklommen.

Doch nein, – wo sich die Matrosen geschart,
Zum Strande sieht sie ihn schreiten, 130
Er schüttelt das Haupt, er streicht den Bart,
Und scheint auf die Welle zu deuten.
Und schau den Spitz! er schnuppert am Grund –
»Was suchst du denn in den Gleisen?
Fidel, Fidel!« fort strauchelt der Hund, 135
Und heulet wie Wölfe im Eisen.

Barmherziger Himmel! ihr wird so bang,
Sie watet im brennenden Sande,

Und wieder erhebt sich so hohl und lang
Des Hundes Geheul vom Strande. 140
O Gott, eine triefende Leich' im Kies,
Eine Leich' mit dem Auge des Stieres!
Und drüber keucht das zottige Vlies
Des lahmen wimmernden Tieres.

Gertrude steht, sie starret herab, 145
Mit Blicken irrer und irrer,
Dann beugt sie über die Leiche hinab,
Mit Lächeln wirrer und wirrer,
Sie wiegt das Haupt bald so bald so,
Sie flüstert mit zuckendem Munde, 150
Und eh die zweite Minute entfloh,
Da liegt sie kniend am Grunde.

Sie fasst der Toten geschwollene Hand,
Ihr Haar voll Muscheln und Tange,
Sie fasst ihr triefend zerlumptes Gewand, 155
Und säubert von Kiese die Wange;
Dann sachte schiebt sie das Tuch zurück,
Recht wo die Schultern sich runden,
So stier und bohrend verweilt ihr Blick,
Als habe sie etwas gefunden. 160

Nun zuckt sie auf, erhebt sich jach,
Und stößt ein wimmernd Gestöhne,
Grad eben als der Matrose sprach:
»Das ist die blonde Helene!
Noch jüngst juchheite sie dort vorbei 165
Mit trunknen Soldaten am Strande.«
Da tat Gertrud einen hohlen Schrei,
Und sank zusammen im Sande.

IV

Jüngst stand ich unter den Föhren am See,
Meinen Büchsenspanner zur Seite. 170
Vom Hange schmälte das brünstige Reh,
Und strich durch des Aufschlags Breite;
Ich hörte es knistern so nah und klar,
Grad wo die Lichtung verdämmert,
Dass mich gestöret der Holzwurm gar, 175
Der unterm Fuße mir hämmert.

Dann sprang es ab, es mochte die Luft
Ihm unsre Witterung tragen;
»Herr«, sprach der Bursche: »links über die Kluft!
Wir müssen zur Linken uns schlagen! 180
Hier naht kein Wild, wo sie eingescharrt
Die tolle Gertrud vom Gestade,
Ich höre genau wie der Holzwurm pocht
In ihrer zerfallenden Lade.«

Zur Seite sprang ich, eisig durchgraut, 185
Mir war als hab' ich gesündigt,
Indes der Bursch mit flüsterndem Laut
Die schaurige Märe verkündigt:
»Wie jene gesucht, bei Tag und Nacht,
Nach dem fremden ertrunkenen Weibe, 190
Das ihr der tückische See gebracht,
Verloren an Seele und Leibe.

Ob ihres Blutes? man wusste es nicht!
Kein Fragen löste das Schweigen.
Doch schlief die Welle, dann sah ihr Gesicht 195
Man über den Spiegel sich beugen,
Und zeigte er ihr das eigene Bild,
Dann flüsterte sie beklommen:
›Wie alt sie sieht, wie irre und wild,
Und wie entsetzlich verkommen!‹ 200

Doch wenn der Sturm die Woge gerührt,
Dann war sie vom Bösen geschlagen,
Was sie für bedenkliche Reden geführt,
Das möge er lieber nicht sagen.
So war sie gerannt vor Jahresfrist, 205
– Man sah's vom lavierenden Schiffe –
Zur Brandung, wo sie am hohlsten ist,
Und kopfüber gefahren vom Riffe.

Drum scharrte man sie ins Dickicht dort,
Wie eine verlorene Seele.« 210
Ich schwieg, und sandte den Burschen fort,
Brach mir vom Grab eine Schmehle:
»Du armes gehetztes Wild der Pein,
Wie mögen die Menschen dich richten!«
– Sacht pochte der Käfer im morschen Schrein, 215
Der Mond stand über den Fichten. –

Die Vergeltung

I

Der Kapitän steht an der Spiere,
Das Fernrohr in gebräunter Hand,
Dem schwarzgelockten Passagiere
Hat er den Rücken zugewandt.
Nach einem Wolkenstreif in Sinnen 5
Die beiden wie zwei Pfeiler sehn,
Der Fremde spricht: »Was braut da drinnen?«
»Der Teufel«, brummt der Kapitän.

Da hebt von morschen Balkens Trümmer
Ein Kranker seine feuchte Stirn, 10
Des Äthers Blau, der See Geflimmer,
Ach, alles quält sein fiebernd Hirn!

Er lässt die Blicke, schwer und düster,
Entlängs dem harten Pfühle gehn,
Die eingegrabnen Worte liest er: 15
»Batavia. Fünfhundertzehn.«

Die Wolke steigt, zur Mittagsstunde
Das Schiff ächzt auf der Wellen Höhn,
Gezisch, Geheul aus wüstem Grunde,
Die Bohlen weichen mit Gestöhn. 20
»Jesus, Marie! wir sind verloren!«
Vom Mast geschleudert der Matros',
Ein dumpfer Krach in aller Ohren,
Und langsam löst der Bau sich los.

Noch liegt der Kranke am Verdecke, 25
Um seinen Balken fest geklemmt,
Da kömmt die Flut, und eine Strecke
Wird er ins wüste Meer geschwemmt.
Was nicht geläng' der Kräfte Sporne,
Das leistet ihm der starre Krampf, 30
Und wie ein Narwal mit dem Horne
Schießt fort er durch der Wellen Dampf.

Wie lange so? er weiß es nimmer,
Dann trifft ein Strahl des Auges Ball,
Und langsam schwimmt er mit der Trümmer 35
Auf ödem glitzerndem Kristall.
Das Schiff! – die Mannschaft! – sie versanken.
Doch nein, dort auf der Wasserbahn,
Dort sieht den Passagier er schwanken
In einer Kiste morschem Kahn. 40

Armsel'ge Lade! sie wird sinken,
Er strengt die heisre Stimme an:
»Nur grade! Freund, du drückst zur Linken!«
Und immer näher schwankt's heran,

Und immer näher treibt die Trümmer, 45
Wie ein verwehtes Möwennest;
»Courage!« ruft der kranke Schwimmer,
»Mich dünkt ich sehe Land im West!«

Nun rühren sich der Fähren Ende,
Er sieht des fremden Auges Blitz, 50
Da plötzlich fühlt er starke Hände,
Fühlt wütend sich gezerrt vom Sitz.
»Barmherzigkeit! ich kann nicht kämpfen.«
Er klammert dort, er klemmt sich hier;
Ein heisrer Schrei, den Wellen dämpfen, 55
Am Balken schwimmt der Passagier.

Dann hat er kräftig sich geschwungen,
Und schaukelt durch das öde Blau,
Er sieht das Land wie Dämmerungen
Enttauchen und zergehn in Grau. 60
Noch lange ist er so geschwommen,
Umflattert von der Möwe Schrei,
Dann hat ein Schiff ihn aufgenommen,
Viktoria! nun ist er frei!

II

Drei kurze Monde sind verronnen, 65
Und die Fregatte liegt am Strand,
Wo mittags sich die Robben sonnen,
Und Bursche klettern übern Rand,
Den Mädchen ist's ein Abenteuer
Es zu erschaun vom fernen Riff, 70
Denn noch zerstört ist nicht geheuer
Das gräuliche Korsarenschiff.

Und vor der Stadt da ist ein Waten,
Ein Wühlen durch das Kiesgeschrill,

Da die verrufenen Piraten 75
Ein jeder sterben sehen will.
Aus Strandgebälken, morsch, zertrümmert,
Hat man den Galgen, dicht am Meer,
In wüster Eile aufgezimmert.
Dort dräut er von der Düne her! 80

Welch ein Getümmel an den Schranken! –
»Da kömmt der Frei – der Hessel jetzt –
Da bringen sie den schwarzen Franken,
Der hat geleugnet bis zuletzt.«
»Schiffbrüchig sei er hergeschwommen«, 85
Höhnt eine Alte: »Ei, wie kühn!
Doch keiner sprach zu seinem Frommen,
Die ganze Bande gegen ihn.«

Der Passagier, am Galgen stehend,
Hohläugig, mit zerbrochnem Mut, 90
Zu jedem Räuber flüstert flehend:
»Was tat dir mein unschuldig Blut!
Barmherzigkeit! – so muss ich sterben
Durch des Gesindels Lügenwort,
O mög' die Seele euch verderben!« 95
Da zieht ihn schon der Scherge fort.

Er sieht die Menge wogend spalten –
Er hört das Summen im Gewühl –
Nun weiß er, dass des Himmels Walten
Nur seiner Pfaffen Gaukelspiel! 100
Und als er in des Hohnes Stolze
Will starren nach den Ätherhöhn,
Da liest er an des Galgens Holze:
»Batavia. Fünfhundertzehn.«

Der Schlosself

In monderhellten Weihers Glanz
Liegt brütend wie ein Wasserdrach'
Das Schloss mit seinem Zackenkranz,
Mit Zinnenmoos und Schuppendach.
Die alten Eichen stehn von fern, 5
Respektvoll flüsternd mit den Wellen,
Wie eine graue Garde gern
Sich mag um graue Herrscher stellen.

Am Tore schwenkt, ein Steinkoloss,
Der Pannerherr die Kreuzesfahn, 10
Und kurbettierend schnaubt sein Ross
Jahrhunderte schon himmelan;
Und neben ihm, ein Tantalus,
Lechzt seit Jahrhunderten sein Docke
Gesenkten Halses nach dem Fluss, 15
Im dürren Schlunde Mooses Flocke.

Ob längst die Mitternacht verklang,
Im Schlosse bleibt es immer wach;
Streiflichter gleiten rasch entlang
Den Korridor und das Gemach, 20
Zuweilen durch des Hofes Raum
Ein hüpfendes Laternchen ziehet;
Dann horcht der Wandrer, der am Saum
Des Weihers in den Binsen knieet.

»Ave Maria! stärke sie! 25
Und hilf ihr über diese Nacht!«
Ein frommer Bauer ist's, der früh
Sich auf die Wallfahrt hat gemacht.
Wohl weiß er, was der Lichterglanz
Mag seiner gnäd'gen Frau bedeuten; 30
Und eifrig lässt den Rosenkranz
Er durch die schwiel'gen Finger gleiten.

Doch durch sein christliches Gebet
Manch Heidennebel schwankt und raucht;
Ob wirklich, wie die Sage geht, 35
Der Elf sich in den Weiher taucht,
Sooft dem gräflichen Geschlecht
Der erste Sprosse wird geboren?
Der Bauer glaubt es nimmer recht,
Noch minder hätt' er es verschworen. 40

Scheu blickt er auf – die Nacht ist klar,
Und gänzlich nicht gespensterhaft,
Gleich drüben an dem Pappelpaar
Zählt man die Zweige längs dem Schaft;
Doch stille! In dem Eichenrund – 45
Sind das nicht Tritte? – Kindestritte?
Er hört wie an dem harten Grund
Sich wiegen, kurz und stramm, die Schritte.

Still! still! es raschelt übern Rain,
Wie eine Hinde, die im Tau, 50
Beherzt gemacht vom Mondenschein,
Vorsichtig äset längs der Au.
Der Bauer stutzt – die Nacht ist licht,
Die Blätter glänzen an dem Hagen,
Und dennoch – dennoch sieht er nicht, 55
Wen auf ihn zu die Schritte tragen.

Da, langsam knarrend, tut sich auf
Das schwere Heck zur rechten Hand,
Und, wieder langsam knarrend, drauf
Versinkt es in die grüne Wand. 60
Der Bauer ist ein frommer Christ;
Er schlägt behänd des Kreuzes Zeichen;
»Und wenn du auch der Teufel bist,
Du musst mir auf der Wallfahrt weichen!«

Da hui! streift's ihn, federweich, 65
Da hui! raschelt's in dem Grün,
Da hui! zischt es in den Teich,
Dass bläulich Schilf und Binsen glühn,
Und wie ein knisterndes Geschoss
Fährt an den Grund ein bläulich Feuer; 70
Im Augenblicke wo vom Schloss
Ein Schrei verzittert überm Weiher.

Der Alte hat sich vorgebeugt,
Ihm ist als schimmre, wie durch Glas,
Ein Kindesleib, phosphorisch, feucht, 75
Und dämmernd wie verlöschend Gas;
Ein Arm zerrinnt, ein Aug' verglimmt –
Lag denn ein Glühwurm in den Binsen?
Ein langes Fadenhaar verschwimmt,
– Am Ende scheinen's Wasserlinsen! 80

Der Bauer starrt, hinab, hinauf,
Bald in den Teich, bald in die Nacht;
Da klirrt ein Fenster drüben auf,
Und eine Stimme ruft mit Macht:
»Nur schnell gesattelt! schnell zur Stadt! 85
Gebt dem Polacken Gert' und Sporen!
Viktoria! soeben hat
Die Gräfin einen Sohn geboren!«

Gedichte
in Einzelveröffentlichungen

Spätes Erwachen

Wie war mein Dasein abgeschlossen,
Als ich im grünumhegten Haus
Durch Lerchenschlag und Fichtensprossen
Noch träumt' in den Azur hinaus!

Als keinen Blick ich noch erkannte, 5
Als den des Strahles durchs Gezweig,
Die Felsen meine Brüder nannte,
Schwester mein Spiegelbild im Teich!

Nicht rede ich von jenen Jahren,
Die dämmernd uns die Kindheit beut – 10
Nein, so verdämmert und zerfahren
War meine ganze Jugendzeit.

Wohl sah ich freundliche Gestalten
Am Horizont vorüberfliehn;
Ich konnte heiße Hände halten 15
Und heiße Lippen an mich ziehn.

Ich hörte ihres Grußes Pochen,
Ihr leises Wispern um mein Haus,
Und sandte schwimmend, halb gebrochen,
Nur einen Seufzer halb hinaus. 20

Ich fühlte ihres Hauches Fächeln,
Und war doch keine Blume süß;
Ich sah der Liebe Engel lächeln,
Und hatte doch kein Paradies.

Mir war, als habe in den Noten 25
Sich jeder Ton an mich verwirrt,
Sich jede Hand, die mir geboten,
Im Dunkel wunderlich verirrt.

Verschlossen blieb ich, eingeschlossen
In meiner Träume Zauberturm, 30
Die Blitze waren mir Genossen
Und Liebesstimme mir der Sturm.

Dem Wald ließ ich ein Lied erschallen,
Wie nie vor einem Menschenohr,
Und meine Träne ließ ich fallen, 35
Die heiße, in den Blumenflor.

Und alle Pfade musst ich fragen:
Kennt Vögel ihr und Strahlen auch?
Doch keinen: wohin magst du tragen,
Von welchem Odem schwillt dein Hauch? 40

Wie ist das anders nun geworden,
Seit ich ins Auge dir geblickt,
Wie ist nun jeder Welle Borden
Ein Menschenbildnis eingedrückt!

Wie fühl ich allen warmen Händen 45
Nun ihre leisen Pulse nach,
Und jedem Blick sein scheues Wenden
Und jeder schweren Brust ihr Ach.

Und alle Pfade möcht' ich fragen:
Wo zieht ihr hin, wo ist das Haus, 50
In dem lebend'ge Herzen schlagen,
Lebend'ger Odem schwillt hinaus?

Entzünden möcht' ich alle Kerzen
Und rufen jedem müden Sein:
Auf ist mein Paradies im Herzen, 55
Zieht alle, alle nun hinein!

Lebt wohl

Lebt wohl, es kann nicht anders sein!
Spannt flatternd eure Segel aus,
Lasst mich in meinem Schloss allein,
Im öden geisterhaften Haus.

Lebt wohl und nehmt mein Herz mit euch 5
Und meinen letzten Sonnenstrahl,
Er scheide, scheide nur sogleich,
Denn scheiden muss er doch einmal.

Lasst mich an meines Sees Bord
Mich schaukelnd mit der Wellen Strich, 10
Allein mit meinem Zauberwort
Dem Alpengeist und meinem Ich.

Verlassen, aber einsam nicht,
Erschüttert, aber nicht zerdrückt,
Solange noch das heil'ge Licht 15
Auf mich mit Liebesaugen blickt,

Solange mir der frische Wald
Aus jedem Blatt Gesänge rauscht,
Aus jeder Klippe, jedem Spalt
Befreundet mir der Elfe lauscht, 20

Solange noch der Arm sich frei
Und waltend mir zum Äther streckt,
Und jedes wilden Geiers Schrei
In mir die wilde Muse weckt.

Grüße

Steigt mir in diesem fremden Lande
Die altbekannte Nacht empor,
Klatscht es wie Hufesschlag vom Strande,
Rollt sich die Dämmerung hervor
Gleich Staubeswolken mir entgegen 5
Von meinem lieben starken Nord,
Und fühl ich meine Locken regen
Der Luft geheimnisvolles Wort:

Dann ist es mir, als hör' ich reiten
Und klirren und entgegenziehn 10
Mein Vaterland von allen Seiten,
Und seine Küsse fühl ich glühn;
Dann wird des Windes leises Munkeln
Mir zu verworrnen Stimmen bald,
Und jede schwache Form im Dunkeln 15
Zur tiefvertrautesten Gestalt.

Und meine Arme muss ich strecken,
Muss Küsse, Küsse hauchen aus,
Wie sie die Leiber könnten wecken,
Die modernden im grünen Haus; 20
Muss jeden Waldeswipfel grüßen
Und jede Heid' und jeden Bach,
Und alle Tropfen, die da fließen,
Und jedes Hälmchen, das noch wach.

Du Vaterhaus mit deinen Türmen, 25
Vom stillen Weiher eingewiegt,
Wo ich in meines Lebens Stürmen
So oft erlegen und gesiegt, –
Ihr breiten laubgewölbten Hallen,
Die jung und fröhlich mich gesehn, 30
Wo ewig meine Seufzer wallen
Und meines Fußes Spuren stehn!

Du feuchter Wind von meinen Heiden,
Der wie verschämte Klage weint, –
Du Sonnenstrahl, der so bescheiden 35
Auf ihre Kräuter niederscheint, –
Ihr Gleise, die mich fortgetragen,
Ihr Augen, die mir nachgeblinkt,
Ihr Herzen, die mir nachgeschlagen,
Ihr Hände, die mir nachgewinkt! 40

Und Grüße, Grüße, Dach, wo nimmer
Die treuste Seele mein vergisst
Und jetzt bei ihres Lämpchens Schimmer
Für mich den Abendsegen liest,
Wo bei des Hahnes erstem Krähen 45
Sie matt die grauen Wimper streicht
Und einmal noch vor Schlafengehen
An mein verlassnes Lager schleicht!

Ich möcht' euch alle an mich schließen,
Ich fühl euch alle um mich her, 50
Ich möchte mich in euch ergießen
Gleich siechem Bache in das Meer;
O, wüsstet ihr, wie krankgerötet,
Wie fieberhaft ein Äther brennt,
Wo keine Seele für uns betet 55
Und keiner unsre Toten kennt!

Im Grase

Süße Ruh', süßer Taumel im Gras,
Von des Krautes Arom umhaucht,
Tiefe Flut, tief, tief trunkne Flut,
Wenn die Wolk' am Azure verraucht,
Wenn aufs müde schwimmende Haupt 5

Süßes Lachen gaukelt herab,
Liebe Stimme säuselt und träuft
Wie die Lindenblüt' auf ein Grab.

Wenn im Busen die Toten dann
Jede Leiche sich streckt und regt, 10
Leise, leise den Odem zieht,
Die geschlossne Wimper bewegt,
Tote Lieb', tote Lust, tote Zeit,
All die Schätze, im Schutt verwühlt,
Sich berühren mit schüchternem Klang 15
Gleich den Glöckchen, vom Winde umspielt.

Stunden, flücht'ger ihr als der Kuss
Eines Strahls auf den trauernden See,
Als des ziehnden Vogels Lied,
Das mir niederperlt aus der Höh', 20
Als des schillernden Käfers Blitz
Wenn den Sonnenpfad er durcheilt,
Als der flücht'ge Druck einer Hand,
Die zum letzten Male verweilt.

Dennoch, Himmel, immer mir nur 25
Dieses eine nur: für das Lied
Jedes freien Vogels im Blau
Eine Seele, die mit ihm zieht,
Nur für jeden kärglichen Strahl
Meinen farbig schillernden Saum, 30
Jeder warmen Hand meinen Druck
Und für jedes Glück meinen Traum.

Durchwachte Nacht

Wie sank die Sonne glüh und schwer!
Und aus versengter Welle dann
Wie wirbelte der Nebel Heer,
Die sternenlose Nacht heran!
– Ich höre ferne Schritte gehn, – 5
Die Uhr schlägt zehn.

Noch ist nicht alles Leben eingenickt,
Der Schlafgemächer letzte Türen knarren,
Vorsichtig in der Rinne Bauch gedrückt
Schlüpft noch der Iltis an des Giebels Sparren, 10
Die schlummertrunkne Färse murrend nickt,
Und fern im Stalle dröhnt des Rosses Scharren,
Sein müdes Schnauben, bis, vom Mohn getränkt,
Es schlaff die regungslose Flanke senkt.

Betäubend gleitet Fliederhauch 15
Durch meines Fensters offnen Spalt,
Und an der Scheibe grauem Rauch
Der Zweige wimmelnd Neigen wallt.
Matt bin ich, matt wie die Natur! –
Elf schlägt die Uhr. 20

O wunderliches Schlummerwachen, bist
Der zartren Nerve Fluch du oder Segen? –
's ist eine Nacht vom Taue wach geküsst,
Das Dunkel fühl ich kühl wie feinen Regen
An meine Wange gleiten, das Gerüst 25
Des Vorhangs scheint sich schaukelnd zu bewegen,
Und dort das Wappen an der Decke Gips
Schwimmt sachte mit dem Schlängeln des Polyps.

Wie mir das Blut im Hirne zuckt!
Am Söller geht Geknister um, 30

Im Pulte raschelt es und ruckt
Als drehe sich der Schlüssel um,
Und – horch! der Seiger hat gewacht,
's ist Mitternacht.

War das ein Geisterlaut? so schwach und leicht 35
Wie kaum berührten Glases schwirrend Klingen,
Und wieder, wie verhaltnes Weinen, steigt
Ein langer Klageton aus den Syringen,
Gedämpfter, süßer nun, wie tränenfeucht
Und selig kämpft verschämter Liebe Ringen; 40
O Nachtigall, das ist kein wacher Sang,
Ist nur im Traum gelöster Seele Drang.

Da kollerts nieder vom Gestein!
Des Turmes morsche Trümmer fällt,
Das Käuzlein knackt und hustet drein. 45
Ein jäher Windesodem schwellt
Gezweig und Kronenschmuck des Hains;
– Die Uhr schlägt eins. –

Und drunten das Gewölke rollt und klimmt;
Gleich einer Lampe aus dem Hünenmale 50
Hervor des Mondes Silbergondel schwimmt,
Verzitternd auf der Gasse blauem Strahle,
An jedem Fliederblatt ein Fünkchen glimmt,
Und hell gezeichnet von dem blassen Strahle
Legt auf mein Lager sich des Fensters Bild, 55
Vom schwanken Laubgewimmel überhüllt.

Jetzt möcht' ich schlafen, schlafen gleich,
Entschlafen unterm Mondeshauch,
Umspielt vom flüsternden Gezweig,
Im Blute Funken, Funk' im Strauch, 60
Und mir im Ohre Melodei;
– Die Uhr schlägt zwei. –

Und immer heller wird der süße Klang,
Das liebe Lachen, es beginnt zu ziehen,
Gleich Bildern von Daguerre, die Deck' entlang, 65
Die aufwärts steigen mit des Pfeiles Fliehen;
Mir ist als seh' ich lichter Locken Hang,
Gleich Feuerwürmern seh ich Augen glühen,
Dann werden feucht sie, werden blau und lind,
Und mir zu Füßen sitzt ein schönes Kind. 70

Es sieht empor, so froh gespannt,
Die Seele strömend aus dem Blick,
Nun hebt es gaukelnd seine Hand,
Nun zieht es lachend sie zurück,
Und – horch! des Hahnes erster Schrei! 75
Die Uhr schlägt drei.

Wie bin ich aufgeschreckt – o süßes Bild
Du bist dahin, zerflossen mit dem Dunkel!
Die unerfreulich graue Dämmrung quillt,
Verloschen ist des Flieders Taugefunkel, 80
Verrostet steht des Mondes Silberschild,
Im Walde gleitet ängstliches Gemunkel,
Und meine Schwalbe an des Frieses Saum
Zirpt leise, leise auf im schweren Traum.

Der Tauben Schwärme kreisen scheu, 85
Wie trunken, in des Hofes Rund,
Und wieder gellt des Hahnes Schrei,
Auf seiner Streue rückt der Hund,
Und langsam knarrt des Stalles Tür,
– Die Uhr schlägt vier. – 90

Da flammts im Osten auf – o Morgenglut!
Sie steigt, sie steigt, und mit dem ersten Strahle
Strömt Wald und Heide vor Gesangesflut,
Das Leben quillt aus schäumendem Pokale,

Es klirrt die Sense, flattert Falkenbrut, 95
Im nahen Forste schmettern Jagdsignale,
Und wie ein Gletscher, sinkt der Träume Land
Zerrinnend in des Horizontes Brand.

Mondesaufgang

An des Balkones Gitter lehnte ich
Und wartete, du mildes Licht, auf dich;
Hoch über mir, gleich trübem Eiskristalle,
Zerschmolzen, schwamm des Firmamentes Halle,
Der See verschimmerte mit leisem Dehnen, 5
– Zerflossne Perlen oder Wolkentränen? –
Es rieselte, es dämmerte um mich,
Ich wartete, du mildes Licht, auf dich!

Hoch stand ich, neben mir der Linden Kamm,
Tief unter mir Gezweige, Ast und Stamm, 10
Im Laube summte der Phalänen Reigen,
Die Feuerfliege sah ich glimmend steigen;
Und Blüten taumelten wie halb entschlafen;
Mir war, als treibe hier ein Herz zum Hafen,
Ein Herz, das übervoll von Glück und Leid, 15
Und Bildern seliger Vergangenheit.

Das Dunkel stieg, die Schatten drangen ein, –
Wo weilst du, weilst du denn, mein milder Schein! –
Sie drangen ein, wie sündige Gedanken,
Des Firmamentes Woge schien zu schwanken, 20
Verzittert war der Feuerfliege Funken,
Längst die Phaläne an den Grund gesunken,
Nur Bergeshäupter standen hart und nah,
Ein düstrer Richterkreis, im Düster da.

Und Zweige zischelten an meinem Fuß, 25
Wie Warnungsflüstern oder Todesgruß,
Ein Summen stieg im weiten Wassertale
Wie Volksgemurmel vor dem Tribunale;
Mir war, als müsse etwas Rechnung geben,
Als stehe zagend ein verlornes Leben, 30
Als stehe ein verkümmert Herz allein,
Einsam mit seiner Schuld und seiner Pein.

Da auf die Wellen sank ein Silberflor,
Und langsam stiegst du, frommes Licht, empor;
Der Alpen finstre Stirnen strichst du leise, 35
Und aus den Richtern wurden sanfte Greise,
Der Wellen Zucken ward ein lächelnd Winken,
An jedem Zweige sah ich Tropfen blinken,
Und jeder Tropfen schien ein Kämmerlein,
Drin flimmerte der Heimatlampe Schein. 40

O Mond, du bist mir wie ein später Freund,
Der seine Jugend dem Verarmten eint,
Um seine sterbenden Erinnerungen
Des Lebens zarten Widerschein geschlungen,
Bist keine Sonne, die entzückt und blendet, 45
In Feuerströmen lebt, in Blute endet, –
Bist, was dem kranken Sänger sein Gedicht,
Ein fremdes, aber o ein mildes Licht!

Gemüt

Grün ist die Flur, der Himmel blau,
Doch tausend Farben spielt der Tau,
Es hofft die Erde bis zum Grabe,
Gewährung fiel dem Himmel zu,
Und, sprich, was ist denn deine Gabe, 5
Gemüt, der Seele Iris du?

Du Tropfen Wolkentau, der sich
In unsrer Scholle Poren schlich,
Dass er dem Himmel sie gewöhne
An seinem lieblichsten Gedicht, 10
Du, irdisch heilig wie die Träne,
Und himmlisch heilig wie das Licht!

Ein Tropfen nur, ein Widerschein,
Doch alle Wunder saugend ein,
Ob, Perle, dich am Blatte wiegend 15
Und spielend um der Biene Fuß,
Ob, süßer Traum, im Grase liegend,
Und lächelnd bei des Halmes Gruß:

O, Erd und Himmel lächeln auch,
Wenn du, geweckt vom Morgenhauch, 20
Gleich einem Kinde hebst den weichen
Verschämten Mondesblick zum Tag,
Erharrend was die Hand des Reichen,
Von Glanz und Duft dir geben mag.

Lächle nur, lächle für und für, 25
Des Kindes Reichtum wird auch dir:
Dir wird des Zweiges Blatt zur Halle,
Zum Sammet dir des Mooses Vlies,
Opale, funkelnde Metalle
Wäscht Muschelscherbe dir und Kies. 30

Des kranken Blattes rötlich Grün,
Drückt auf die Stirn dir den Rubin,
Mit Chrysolithes goldnem Flittern
Schmückt deinen Spiegel Kraut und Gras;
Und selbst des dürren Laubes Zittern, 35
Schenkt dir den bräunlichen Topas.

Und gar wenn losch das Sonnenlicht,
Und nun dein eigenstes Gedicht,
Morgana deines Sees, gaukelt,
Ein Traum von Licht, um deinen Ball, 40
Und zarte Schattenbilder schaukelt,
Gefangene Geister im Kristall:

Dann schläfst du, schläfst in eigner Haft,
Lässt walten die verborgne Kraft,
Was nicht dem Himmel, nicht der Erden, 45
Was deiner Schöpfung nur bewusst,
Was nie gewesen, nie wird werden,
Die Embryone deiner Brust.

O lächle, träume immerzu,
Iris der Seele, Tropfen du! 50
Den Wald lass rauschen, im Gewimmel
Entfunkeln lass der Sterne Reihn,
Du hast die Erde, hast den Himmel,
Und deine Geister obendrein.

Gedichte
aus dem Nachlass

Einzelgedichte

Zum Abdruck vorgesehene Gedichte

Der Dichter – Dichters Glück

I

Die ihr beim fetten Mahle lacht
Euch eure Blumen zieht in Scherben,
Und was an Gold euch zugedacht
Euch wohlbehaglich lasst vererben
Ihr starrt dem Dichter ins Gesicht, 5
Verwundert, dass er Rosen bricht
Von Disteln, aus dem Quell der Augen
Korall und Perle weiß zu saugen

Dass er den Blitz herniederlangt
Um seine Lampe zu entzünden 10
Im Wettertoben wenn euch bangt,
Den rechten Odem weiß zu finden
Ihr starrt ihn an mit halbem Neid,
Den Geistescrösus seiner Zeit
Und wisst es nicht, mit welchen Qualen 15
Er seine Schätze muss bezahlen!

Wisst nicht, dass ihn, Verdammten gleich,
Nur rinnend Feuer kann ernähren,
Nur der durchstürmten Wolke Reich
Den Lebensodem kann gewähren 20
Dass, wo das Haupt ihr sinnend hängt
Sich blutig ihm die Träne drängt

Nur in des schärfsten Dornes Spalten
Sich seine Blume kann entfalten

Meint ihr das Wetter zünde nicht? 25
Meint ihr der Sturm erschüttre nicht?
Meint ihr die Träne brenne nicht?
Meint ihr die Dornen stechen nicht?
Ja, eine Lamp' hat er entfacht,
Die nur das Mark ihm sieden macht!
Ja Perlen fischt er und Juwele
Die kosten nichts als seine Seele!

II

Locke nicht, du Strahl aus der Höh'
Denn noch lebt des Prometheus Geier
Stille still, du buhlender See 35
Denn noch wachen die Ungeheuer
Neben deines Hortes kristallnem Schrein,
Senk die Hand mein fürstlicher Zecher,
Dort drunten bleicht das morsche Gebein
Des der getaucht nach dem Becher 40

Und du flatternder Lodenstrauß
Du der Distel mystische Rose
Strecke nicht deine Fäden aus
Mich umschlingend so lind und lose
Flüstern oft hör ich dein Würmlein klein 45
Das dir heilend im Schoß mag weilen
Ach soll ich denn die Rose sein
Die zernagte, um andre zu heilen?

Halt fest!

Halt fest den Freund, den einmal du erworben,
Er lässt dir keine Gaben für das Neue
Lässt wie das Haus in dem ein Leib gestorben,
Unrein das Herz wo modert eine Treue
Meinst du dein sei der Hände Druck der Strahl 5
Des eignen Auges dein, voll Glück und Liebe?
Drückst du zum zweiten, blickst zum zweiten Mal
Die Frucht ist fleckig und der Spiegel trübe.

Halt fest dein Wort, o fest wie deine Seele,
So stolz und freudig mag kein Lorbeer ranken 10
Dass er das Mal auf einer Stirne hehle
Die unterm Druck des Wortes konnte wanken
Der ärmste Bettler dem ein ehrlich Herz
Wird wie ein König dir genübertreten
Und du? – du zupfst den Lorbeer niederwärts 15
Und heimlich musst du dein Peccavi beten

Halt deinen Glauben lass ihn dir genügen
Wer möchte Blut um fremden Ichor tauschen
Verstößest du den Cherub deiner Wiegen
Aus jedem Blatte wird sein Flügel rauschen 20
Und ist dein Geist zu stark, vielleicht zu blind,
In seiner Hand das Flammenschwert zu sehen
So zweifle nicht er wird, ein weinend Kind
An deinem öden letzten Lager stehen

Und dann die Gabe gnädig dir verliehen
Den köstlichen Moment, den gottgesandten
O fessle fessle seinen Quell im Fliehen
Halt jeden Tropfen höher als Demanten
Noch schläft die Stunde, doch sie wacht dareinst
Wo deinem Willen sich die Kraft entwunden 30
Wo du verlorne schwere Tränen weinst
In die Charibdys deiner toten Stunden

Vor allem aber halt das Kind der Schmerzen
Dein angefochtnes Selbst, von Gott gegeben,
O sauge nicht das Blut aus deinem Herzen 35
Um einen Seelenbastard zu beleben
Dass, wenn dir einstens vor dem Golem graut
Es zu dir trete nicht mit leisen Klagen
»So war ich, und so ward ich dir vertraut
Unsel'ger, warum hast du mich erschlagen!« 40

Drum fest, nur fest, nur keinen Schritt zur Seite
Der Himmel hat die Pfade wohl bezeichnet,
Ein reines Aug' erkennet aus der Weite
Und nur der Wille hat den Pfad verleugnet,
Uns allen ward der Kompass eingedrückt 45
Noch keiner hat ihn aus der Brust gerissen,
Die Ehre nennt ihn, wer zur Erde blickt
Und wer zum Himmel nennt ihn das Gewissen.

An einen Freund

Zum zweiten Male will ein Wort
Sich zwischen unsre Herzen drängen
Den felsbewachten Erzes Hort
Will eines Knaben Mine sprengen 5
Sieh mir ins Auge, hefte nicht
Das deine an des Fensters Borden
Ist denn so fremd dir mein Gesicht
Denn meine Stimme dir geworden?

Sieh deinem Freund ins Auge, schuf 10
Natur ihn gleich im Eigensinne
Nach fremder Form, muss ihrem Ruf
Antworten er mit fremder Stimme
Der Vogel singt wie sie gebeut,

Libelle zieht die farb'gen Ringe 15
Und keine Seele hat bis heut
Sie noch gezürnt zum Schmetterlinge

Still ließ an seiner Jahre Rand
Die Parze ihre Spindel schlüpfen
Zu strecken meint er nur die Hand 20
Um alte Fäden anzuknüpfen
Allein der deine hat sich reich
Er hat sich vielbewegt verschlungen
Darf es dich wundern, wenn nicht gleich
Die neue Arbeit ihm gelungen? 25

Dass manches in ihm schroff und steil
Wer könnte so wie er es wissen
Vielleicht ist's seiner Seele Heil
Sein zweites zarteres Gewissen
Es hat gedämpft den Übermut 30
Der ihn gigantengleich bezwungen
Hat in der Reue Kraft und Glut
Mit dem Dämone stets gerungen

Doch du, das tiefversenkte Teil
Von seinem Herzen, darfst du denken 35
Er wolle so sein eignes Heil
Und seine eigne Würde kränken?
O sorglos war sein Wort und bunt
Er meinte dass es dich ergötze
Dass nicht geschaffen sei sein Mund 40
Zu einem Wort das dich verletze

Du zweifelst an der Sympathie
Zu einem Wesen, das dir eigen?
So sag ich nur, du konntest nie
Zum Borne ernster Treue steigen 45
Sonst wüsstest du, dass auf den Höhn

Das schlechte Unkraut schrumpft zusammen
Und dass wir dort den Phönix sehn
Wo unsrer Liebsten Zedern flammen

Dann reich ich eine Hand nicht nur 50
Ich reiche beide euch entgegen
Zum Leiten auf verlorner Spur
Zum Liebespenden und zum Segen
Nur ehre ihn, der angefacht
Das Lebenslicht an meiner Wiege 55
Ertrag mich wie mich Gott gemacht
Und leih mir keine fremden Züge

Nicht zum Abdruck vorgesehene Gedichte

[Wie sind meine Finger so grün]

Wie sind meine Finger so grün
Blumen hab ich zerrissen
Sie wollten für mich blühn
Und haben sterben müssen
Wie neigten sie um mein Angesicht 5
Wie fromme schüchterne Lieder
Ich war in Gedanken, ich achtet's nicht
Und bog sie zu mir nieder
Zerriss die lieben Glieder
In sorgenlosem Mut 10
Da floss ihr grünes Blut
Um meine Finger nieder
Sie weinten nicht, sie klagten nicht,
Sie starben sonder Laut
Nur dunkel ward ihr Angesicht 15
Wie wenn der Himmel graut
Sie konnten mir's nicht ersparen
Sonst hätten sie's wohl getan, –
Wohin bin ich gefahren!
In trüben Sinnens Wahn! 20
O töricht Kinderspiel!
O schuldlos Blutvergießen!
Und gleicht's dem Leben viel,
Lasst mich die Augen schließen,
Denn was geschehn ist, ist geschehn 25
Und wer kann für die Zukunft stehn!

[Du, der ein Blatt von dieser schwachen Hand]

Du, der ein Blatt von dieser schwachen Hand
Gewünscht, von dieser, die nur guten Willen
Zu opfern hat in des Altares Brand,
Nur zitternd ihre Stelle weiß zu füllen,
Bete für sie, mein Bruder, dass wenn naht 5
Die letzte ihr und dunkelste der Stunden,
Kein Unkraut zeuge gegen ihre Saat,
Dass rein sie würde, wenn auch schwach, befunden.

[Das Wort]

Das Wort gleicht dem beschwingten Pfeil,
Und ist es einmal deinem Bogen,
In Tändeln oder Ernst, entflogen,
Erschrecken muss dich seine Eil'!

Dem Körnlein gleicht es, deiner Hand 5
Entschlüpft; wer mag es wiederfinden?
Und dennoch wuchert's in den Gründen
Und treibt die Wurzeln durch das Land.

Gleicht dem verlornen Funken, der
Vielleicht erlischt am feuchten Tage, 10
Vielleicht am milden glimmt im Hage,
Am dürren schwillt zum Flammenmeer.

Und Worte sind es doch die einst
So schwer in deine Schale fallen,
Ist keins ein nichtiges von allen, 15
Um jedes hoffst du oder weinst.

O einen Strahl der Himmelsau,
Mein Gott, dem Zagenden und Blinden!
Wie soll er Ziel und Acker finden?
Wie Lüfte messen und den Tau? 20

Allmächt'ger, der das Wort geschenkt,
Doch seine Zukunft uns verhalten,
Woll' selber deiner Gabe walten,
Durch deinen Hauch sei sie gelenkt!

Richte den Pfeil dem Ziele zu, 25
Nähre das Körnlein schlummertrunken,
Erstick ihn oder fach den Funken!
Denn was da frommt das weißt nur du.

Aus dem Zyklus
Das geistliche Jahr in Liedern auf alle Sonn- und Festtage

Am ersten Sonntage nach h. drei Könige

Ev.: Jesus lehrt im Tempel

Und sieh ich habe dich gesucht mit Schmerzen,
Mein Herr und Gott wo werde ich dich finden?
Ach nicht im eignen ausgestorbnen Herzen,
Wo längst dein Ebenbild erlosch in Sünden,
Da tönt aus allen Winkeln, ruf ich dich, 5
Mein eignes Echo wie ein Spott um mich.

Wer einmal hat dein göttlich Bild verloren,
Was ihm doch eigen war wie seine Seele,
Mit dem hat sich die ganze Welt verschworen,
Dass sie dein heilig Antlitz ihm verhehle. 10
Und wo der Fromme dich auf Tabor schaut,
Da hat er sich im Tal sein Haus gebaut.

So muss ich denn zu meinem Graun erfahren
Das Rätsel, das ich nimmer konnte lösen,
Als mir in meinen hellen Unschuldsjahren 15
Ganz unbegreiflich schien was da vom Bösen,
Dass eine Seele, wo dein Bild geglüht,
Dich gar nicht mehr erkennt wenn sie dich sieht.

Rings um mich tönt der klare Vogelreigen:
»Horch auf, die Vöglein singen seinem Ruhme!« 20
Und will ich mich zu einer Blume neigen:
»Sein mildes Auge schaut aus jeder Blume.«

Ich habe dich in der Natur gesucht,
Und weltlich Wissen war die eitle Frucht!

Und muss ich schauen in des Schicksals Gange, 25
Wie oft ein gutes Herz in diesem Leben
Vergebens zu dir schreit aus seinem Drange,
Bis es verzweifelnd sich der Sünd' ergeben,
Dann scheint mir alle Liebe wie ein Spott,
Und keine Gnade fühl ich, keinen Gott! 30

Und schlingen sich so wunderbar die Knoten
Dass du in Licht erscheinst dem treuen Blicke,
Da hat der Böse seine Hand geboten
Und baut dem Zweifel eine Nebelbrücke,
Und mein Verstand, der nur sich selber traut, 35
Der meint gewiss sie sei von Gold gebaut!

Ich weiß es, dass du bist, ich muss es fühlen,
Wie eine schwere kalte Hand mich drücken,
Dass einst ein dunkles Ende diesen Spielen,
Dass jede Tat sich ihre Frucht muss pflücken; 40
Ich fühle der Vergeltung mich geweiht,
Ich fühle dich, doch nicht mit Freudigkeit.

Wo find ich dich in Hoffnung und in Lieben!
Denn jene ernste Macht, die ich erkoren,
Das ist der Schatten nur, der mir geblieben 45
Von deinem Bilde, da ich es verloren.
O Gott, du bist so mild, und bist so licht!
Ich suche dich in Schmerzen, birg dich nicht!

Am fünften Sonntage in der Fasten

Ev.: Die Juden wollen Jesum steinigen

Die Propheten sind begraben!
  Abraham ist tot!
Millionen, Greis und Knaben,
  Und der Mägdlein rot,
Viele, die mir Liebe gaben, 5
  Denen ich sie bot,
Alle, alle sind begraben!
  Alle sind sie tot!

Herr, du hast es mir verkündet,
  Und dein Wort steht fest, 10
Dass nur der das Leben findet,
  Der das Leben lässt.
Ach, in meiner Seele windet
  Es sich dumpf gepresst;
Doch, du hast es mir verkündet, 15
  Und dein Wort steht fest!

Aber von mir selbst bereitet,
  Leb ich oft der Pein,
Alles scheint mir wohl geleitet,
  Und der Mensch allein, 20
Der dein Ebenbild bedeutet,
  Jammervoll zu sein;
Sieh, so hab ich mir bereitet
  Namenlose Pein.

Hab ich grausend es empfunden, 25
  Wie in der Natur
An ein Fäserchen gebunden,
  Eine Nerve nur,
Oft dein Ebenbild verschwunden
  Auf die letzte Spur: 30

Hab ich keinen Geist gefunden,
  Einen Körper nur!

Seh ich dann zu Staub zerfallen,
  Was so warm gelebt,
Ohne dass die Muskeln wallen, 35
  Eine Nerve bebt,
Da die Seele doch an allen
  Innig fest geklebt,
Möcht' ich selbst zu Staub zerfallen,
  Dass ich nie gelebt! 40

Schrecklich über alles Denken
  Ist die dumpfe Nacht,
Drin sich kann ein Geist versenken,
  Der allein gedacht,
Der sich nicht von dir ließ lenken, 45
  Helle Glaubensmacht!
Ach, was mag der Finstre denken
  Als die finstre Nacht!

Meine Lieder werden leben,
  Wenn ich längst entschwand, 50
Mancher wird vor ihnen beben,
  Der gleich mir empfand.
Ob ein andrer sie gegeben,
  Oder meine Hand!
Sieh, die Lieder durften leben, 55
  Aber ich entschwand!

Bruder mein, so lass uns sehen
  Fest auf Gottes Wort,
Die Verwirrung wird vergehen,
  Dies lebt ewig fort. 60
Weißt du wie sie mag entstehen
  Im Gehirne dort?

Ob wir einst nicht lächelnd sehen
Der Verstörung Wort,

Wie es hing an einem Faden, 65
Der zu hart gespannt,
Mit entflammten Blut beladen
Sich der Stirn entwand?
Flehen wir zu Gottes Gnaden!
Flehn zu seiner Hand, 70
Die die Fädchen und die Faden
Liebreich ausgespannt.

Am dritten Sonntage nach Ostern

»Über ein Kleines werdet ihr mich sehen.«

Ich seh dich nicht!
Wo bist du denn, o Hort, o Lebenshauch?
Kannst du nicht wehen, dass mein Ohr es hört?
Was nebelst, was verflatterst du wie Rauch,
Wenn sich mein Aug' nach deinen Zeichen kehrt? 5
Mein Wüstenlicht,
Mein Aaronsstab, der lieblich könnte grünen,
Du tust es nicht;
So muss ich eigne Schuld und Torheit sühnen!

Heiß ist der Tag; 10
Die Sonne prallt von meiner Zelle Wand,
Ein traulich Vöglein flattert ein und aus;
Sein glänzend Auge fragt mich unverwandt:
Schaut nicht der Herr zu diesen Fenstern aus?
Was fragst du nach? 15
Die Stirne muss ich senken und erröten.
O bittre Schmach!
Mein Wissen musste meinen Glauben töten.

Die Wolke steigt,
Und langsam über den azurnen Bau 20
Hat eine Schwefelhülle sich gelegt.
Die Lüfte wehn so seufzervoll und lau
Und Angstgestöhn sich in den Zweigen regt;
Die Herde keucht.
Was fühlt das stumpfe Tier, ist's deine Schwüle? 25
Ich steh gebeugt;
Mein Herr berühre mich, dass ich dich fühle!

Ein Donnerschlag!
Entsetzen hat den kranken Wald gepackt.
Ich sehe, wie im Nest mein Vogel duckt, 30
Wie Ast an Ast sich ächzend reibt und knackt,
Wie Blitz an Blitz durch Schwefelgassen zuckt;
Ich schau ihm nach.
Ist's deine Leuchte nicht, gewaltig Wesen?
Warum denn, ach! 35
Warum nur fällt mir ein was ich gelesen?

Das Dunkel weicht;
Und wie ein leises Weinen fällt herab
Der Wolkentau; Geflüster fern und nah.
Die Sonne senkt den goldnen Gnadenstab, 40
Und plötzlich steht der Friedensbogen da.
Wie? wird denn feucht
Mein Auge, ist nicht Dunstgebild der Regen?
Mir wird so leicht!
Wie? kann denn Halmes Reibung mich bewegen? 45

Auf Bergeshöhn
Stand ein Prophet und suchte dich wie ich:
Da brach ein Sturm der Riesenfichte Ast,
Da fraß ein Feuer durch die Wipfel sich;
Doch unerschüttert stand der Wüste Gast. 50
Da kam ein Wehn

Wie Gnadenhauch und zitternd überwunden
Sank der Prophet,
Und weinte laut und hatte dich gefunden.

Hat denn dein Hauch 55
Verkündet mir, was sich im Sturme barg,
Was nicht im Blitze sich enträtselt hat?
So will ich harren auch, schon wächst mein Sarg,
Der Regen fällt auf meine Schlummerstatt!
Dann wird wie Rauch 60
Entschwinden eitler Weisheit Nebelschemen,
Dann schau ich auch,
»Und meine Freude wird mir niemand nehmen«.

Am Pfingstmontage

»Also hat Gott die Welt geliebt, dass er ihr seinen eingebornen Sohn gesandt hat, damit keiner der an ihn glaubt, verloren gehe. – Wer aber nicht glaubt, der ist schon gerichtet.«

Ist es der Glaube nur, dem du verheißen,
Dann bin ich tot.
O Glaube! wie lebend'gen Blutes Kreisen,
Er tut mir not;
Ich hab ihn nicht. 5
Ach, nimmst du statt des Glaubens nicht die Liebe
Und des Verlangens tränenschweren Zoll:
So weiß ich nicht, wie mir noch Hoffnung bliebe;
Gebrochen ist der Stab, das Maß ist voll
Mir zum Gericht. 10

Mein Heiland, der du liebst, wie niemand liebet,
Fühlst du denn kein
Erbarmen, wenn so krank und tiefbetrübet

Auf hartem Stein
Dein Ebenbild 15
In seiner Angst vergehend kniet und flehet?
Ist denn der Glaube nur dein Gotteshauch,
Hast du nicht tief in unsre Brust gesäet
Mit deinem eignen Blut die Liebe auch?
O sei doch mild! 20

Ein hartes schweres Wort hast du gesprochen,
Dass »wer nicht glaubt,
Gerichtet ist« – so bin ich ganz gebrochen.
Doch so beraubt
Lässt er mich nicht, 25
Der hingab seinen Sohn, den eingebornen,
Für Sünder wie für Fromme allzugleich.
Zu ihm ich schau, die Ärmste der Verlornen,
Nur um ein Hoffnungswort, er ist so reich
Mein Gnadenlicht! 30

Du Milder, der die Taufe der Begierde
So gnädiglich
Besiegelt selbst mit Sakramentes Würde,
Nicht zweifle ich,
Du hast gewiss 35
Den Glauben des Verlangens, Sehnens Weihe
Gesegnet auch; sonst wärst du wahrlich nicht
So groß an Milde und so stark an Treue,
Brächst du ein Zweiglein, draus die Knospe bricht
Und Frucht verhieß. 40

Was durch Verstandes Irren ich verbrochen,
Ich hab es ja
Gebüßt so manchen Tag und manche Wochen;
So sei mir nah!
Nach meiner Kraft, 45
Die freilich ich geknickt durch eigne Schulden,

Doch einmal aufzurichten nicht vermag,
Will hoffen ich, will sehnen ich, will dulden;
Dann gibst du, Treuer, wohl den Glauben nach,
Der Hülfe schafft. 50

Am sechsundzwanzigsten Sonntage nach Pfingsten

Ev.: Vom Gräuel der Verwüstung
»Wenn ihr sehen werdet den Gräuel der Verwüstung, von welchem gesagt ist durch den Propheten Daniel, dass er stehe an der heiligen Stätte – aber um der Auserwählten willen werden diese Tage abgekürzet werden.«

Steht nicht der Gräuel der Verwüstung da
An heil'ger Stätte?
Was träumen wir von Dingen, die uns nah,
Als schliefen sie wie Feuerstoff im Bette
Des Kohlenschachts? Blickt auf und schaut umher, 5
O, die Verödung, wie sie dumpf und schwer
Traf Herz an Herz wie mit galvan'scher Kette!

Gibt's eine Stätte denn, die heiliger
Als Menschenherzen?
Gibt es Verwüstung, die entsetzlicher, 10
Als wenn das Höchste stirbt an matten Scherzen?
O Glaube, Glaube, wem du kalt und schwach,
Der schleppt den Grabstein an der Ferse nach:
Und dennoch Heil ihm, schleppt er ihn mit Schmerzen!

Doch wer sein Kleinod als ein Spielgerät 15
Sieht lächelnd brechen,
Und wie aus Gnad und milder Majestät
Ein Mitleidswort will ob dem Toren sprechen,
Dem Toren, der beweint sein Steckenpferd:

Ja, dem erlosch die Flamm am heil'gen Herd 20
Und seine Nahrung steht in Sumpf und Bächen.

Kannst du ertragen, dass die Augen schaun,
Wem sie sich kehren:
Dorthin dann wende deinen Blick mit Graun,
Wo wie im Moderschlamm die Massen gären! 25
Verlass den kleinen grünen Fleck, der nur
Durch Gottes Huld ward zu des Lebens Flur,
Und sieh, wie sie von deinem Busen zehren!

O hätt' ich nimmer meinen Fuß gewandt
Von deiner Erde! 30
Wie segn' ich dich mein reiches kleines Land,
Du frische Weide einer treuen Herde!
In dir sah ich die Schande nicht vergnügt,
Nicht hohen Geist an alle Schmach geschmiegt,
Noch tiefsten Wahnsinns üppige Gebärde. 35

Ich bin enttäuscht, und manche Narbe trug
Ich aus dem Streite.
Als auch an meine Brust Verwüstung schlug
Und forderte die halbverfallne Beute,
Ward ich entrissen ihr durch Gottes Huld: 40
Sein ist die Gnade, mein allein die Schuld;
Und dennoch eine Trümmer steh ich heute!

Bin ich nicht ganz der öden Stätte gleich,
Verfluchtem Grunde,
Wo Salz gestreut auf Stein und Schädel bleich, 45
Gibt hier und dort noch eine Säule Kunde
Vergangner Herrlichkeit: Dank dir mein Land;
Du hast zu früh gelegt ein frommes Band
Um meine Seele in der Kindheit Stunde.

So will ich harren denn, und tiefbedrängt 50
Will ich es tragen,
Dass immer wie zum Sturz die Mauer hängt:
Noch mögen einst erneut die Zinnen ragen.
Es gibt ja eine stark und milde Hand,
So aus dem Nichts entflammt den Sonnenbrand; 55
Sie hat auch diesen morschen Bau getragen

Bis heute, wo aus dieser kranken Brust
Die Seufzer drangen.
O du, dem Wurmes Zucken selbst bewusst,
Hilf mir und jenen auch, die todumfangen! 60
Sei gnädig, leg an ihr verknorpelt Herz
Des Leidens M o k s a, dass es lebt in Schmerz;
Ach Herr, sie wussten nicht was sie begangen!

Am letzten Tage des Jahres (Silvester)

Das Jahr geht um,
Der Faden rollt sich sausend ab.
Ein Stündchen noch, das letzte heut,
Und stäubend rieselt in sein Grab
Was einstens war lebend'ge Zeit. 5
Ich harre stumm.

's ist tiefe Nacht!
Ob wohl ein Auge offen noch?
In diesen Mauern rüttelt dein
Verrinnen, Zeit! Mir schaudert, doch
Es will die letzte Stunde sein
Einsam durchwacht.

Gesehen all,
Was ich begangen und gedacht,

Was mir aus Haupt und Herzen stieg, 15
Das steht nun eine ernste Wacht
Am Himmelstor. O halber Sieg,
O schwerer Fall!

Wie reißt der Wind
Am Fensterkreuze, ja es will 20
Auf Sturmesfittichen das Jahr
Zerstäuben, nicht ein Schatten still
Verhauchen unterm Sternenklar.
Du Sündenkind!

War nicht ein hohl 25
Und heimlich Sausen jeder Tag
In der vermorschten Brust Verlies,
Wo langsam Stein an Stein zerbrach,
Wenn es den kalten Odem stieß
Vom starren Pol? 30

Mein Lämpchen will
Verlöschen, und begierig saugt
Der Docht den letzten Tropfen Öl.
Ist so mein Leben auch verraucht,
Eröffnet sich des Grabes Höhl' 35
Mir schwarz und still?

Wohl in dem Kreis,
Den dieses Jahres Lauf umzieht,
Mein Leben bricht: Ich wusst' es lang!
Und dennoch hat dies Herz geglüht 40
In eitler Leidenschaften Drang.
Mir brüht der Schweiß

Der tiefsten Angst
Auf Stirn und Hand! – Wie, dämmert feucht
Ein Stern dort durch die Wolken nicht? 45

Wär' es der Liebe Stern vielleicht,
Dich scheltend mit dem trüben Licht,
Dass du so bangst?

Horch, welch Gesumm?
Und wieder? Sterbemelodie! 50
Die Glocke regt den ehrnen Mund.
O Herr! ich falle auf das Knie:
Sei gnädig meiner letzten Stund!
Das Jahr ist um!

Anhang

Zu dieser Ausgabe

Die vorliegende Auswahl will die Lyrik der Annette von Droste-Hülshoff in ihren stärksten Texten präsentieren, gleichzeitig aber, so weit es geht, die verschiedenen Töne berücksichtigen. Die besonderen Stärken dieser Dichterin sind die Naturgedichte, die Balladen und eine ganz besondere Art von geistlicher Poesie. Hier eröffnet ihre Lyrik Perspektiven, die auch im 21. Jahrhundert noch Bedeutung haben. Ihre Schwächen dagegen liegen bei den zeitgebunden-biedermeierlichen Texten, in denen die Sprache bereits die Unterwerfung unter die bestehenden Ordnungen signalisiert. Solche Gedichte sind heute nur mehr von historischem Interesse. Aus dieser letzten Gruppe sind denn auch nur einige wenige Beispiele aufgenommen worden: drei »Zeitbilder« und ein Gedicht wie *Mein Beruf* vertreten exemplarisch diesen Bereich der Droste-Lyrik. Dagegen ist die Gruppe der zwölf »Heidebilder«, in denen Naturlyrik und Balladenton zusammentreffen, vollständig vertreten.

Unter äußerlichen Aspekten lässt sich das lyrische Werk einteilen in zu Lebzeiten Drostes gedruckte und zu ihren Lebzeiten nicht gedruckte Texte. Auch die vorliegende Ausgabe folgt diesem Ordnungsschema, das sich zuletzt in der Droste-Forschung durchgesetzt hat, nachdem eine Zeitlang die Anordnung nach der Chronologie der Entstehung im Sinne eines »inneren Tagebuches« bevorzugt worden war. Am Anfang dieser Auswahl stehen deshalb die zu Lebzeiten in der Ausgabe der *Gedichte* von 1844 gedruckten Gedichte, und zwar in der Abfolge des Drucks. Es folgen die nach Erscheinen dieser Ausgabe in Einzeldrucken veröffentlichten Texte. Daran schließen sich die zu Lebzeiten nicht gedruckten Texte in chronologischer Ordnung an, wobei hier noch einmal danach unterschieden wurde, ob eine Publikation zumindest geplant war oder nicht. Am Ende steht die Auswahl aus dem ebenfalls erst postum erschienenen *Geistlichen Jahr*.

Um deutlich zu machen, wie viele Stücke jeweils aus den einzelnen Gruppen Berücksichtigung fanden, werden hier die Zahlen der vorhandenen und der in dieser Ausgabe abgedruckten Gedichte einander gegenübergestellt.

Zu Lebzeiten gedruckt:

Gedichte, 1844 (101 / 32)
Zeitbilder: 10 / 3
Heidebilder: 12 / 12
Fels, Wald und See: 10 / 5
Gedichte vermischten Inhalts: 40 / 5
Scherz und Ernst: 10 / –
Balladen: 19 / 7

Gedichte in Einzelveröffentlichungen: 23 / 7

Zu Lebzeiten nicht gedruckt:

Zum Abdruck vorgesehene Gedichte: 39 / 3
Nicht zum Abdruck vorgesehene Gedichte: 91 / 3

Das Geistliche Jahr, 1851: 72 / 7

Zu den Druckvorlagen

Hinsichtlich der Bestimmung der Druckvorlagen stellt die Droste-Lyrik in aller Regel vor keine größeren Probleme. Bei der Ausgabe der *Gedichte* von 1844 handelt es sich um einen von der Autorin selbst zusammen mit Levin Schücking sehr sorgfältig vorbereiteten und korrigierten Text, den man mit vollem Recht autorisiert nennen darf.

Für die Gedichte in Einzelveröffentlichungen gibt es in der Regel nur einen gedruckten Text, der in einer Zeitung oder Zeitschrift, einem Almanach o.Ä. erschien. Diese Druckfassungen sind nicht mehr von der Verfasserin korrigiert. Für diese Einzeldrucke haben sich die Entwurfshandschriften, in Einzelfällen auch die dem Druck zugrunde gelegten Reinschriften erhalten. Unser Text basiert, der Entscheidung der Historisch-kritischen Ausgabe folgend, grundsätzlich auf den Erstdrucken, die an einzelnen, begründbaren Stellen mit Hilfe der Handschriften korrigiert wurden. Die Entwürfe ebenso wie die reinschriftlichen Druckvorlagen weisen noch eine andere für Droste-Hülshoff charakteristische Eigenart auf: die Alternativvarianten. Alternativvarianten entstanden dann, wenn die Autorin alternative Möglichkeiten für ein Wort oder eine Wortfolge nebeneinander aufschrieb und keine dieser Möglichkeiten durchstrich. Für den Druck hatte dann der Herausgeber, in den meisten Fällen ihr Vertrauter Levin Schücking, eine Variante auszuwählen. Heutige Herausgeber haben sich an diese Entscheidung Schückings keineswegs zu halten, besitzen andererseits aber auch keine zusätzlichen objektiven Entscheidungshilfen. Eine wirklich befriedigende Lösung des Problems der Alternativvarianten gibt es nicht; die in den Text eingesetzte Variante ist mit den nicht eingesetzten zusammenzulesen. Deshalb werden in den beiden einschlägigen Fällen (*Mondesaufgang*; *Gemüt*) die Alternativvarianten der Reinschrift in dieser Ausgabe im Kommentar verzeichnet.

Die Gedichte aus dem Nachlass gehen meist auf handschriftliche Vorlagen zurück, die nicht wirklich abgeschlossen wurden. Die Textfassung dokumentiert die letzte erreichte Entwicklungsstufe.

Die Texte dieser Ausgabe folgen für die zu Lebzeiten gedruckten Texte dem Band: Annette von Droste-Hülshoff, *Gedichte*, Stuttgart: Cotta, 1844, oder den Einzeldrucken. Für die zu Lebzeiten nicht gedruckten Texte folgt der Druck den Handschriften.

An folgenden Stellen waren aufgrund des Vergleichs der Drucke in Buchform (hier abgekürzt: *D*) bzw. in Periodika (Journalfassungen; hier abgekürzt: *J*) mit den handschriftlichen Druckvorlagen (in den Fällen *Lebt wohl*; *Grüße*; *Im Grase*; *Durchwachte Nacht* mit den Entwurfshandschriften) Eingriffe in den Text der *Gedichte* bzw. der Einzeldrucke geboten:

16 Die Lerche

23 Wimper] Wimpern *D*
43; 81 kömmt] kommt *D*

22 Die Vogelhütte

78 Luke] Lücke *D*

27 Der Weiher

16 halt] hab' *D*

37 Die Krähen

8 Kanker] Kranker *D.* Droste hatte den Druckfehler in den Fahnen bemerkt und am 17. April 1844 brieflich an Schücking gemeldet; trotzdem blieb er stehen.
171 Ihr] ihren *D*

42 Das Hirtenfeuer

1 Dunkel, Dunkel] Dunkel, dunkel *D*
59 Heideweise] Haideweisen *D.* Droste hatte den Fehler in den Fahnen bemerkt und mit Brief vom 17. April 1844 Schücking vergeblich um Änderung gebeten.
60 Verzittert] Verzittern *D.* Diese Korrektur wird nötig, wenn »Haideweisen« in »Heideweise« verändert wird.

52 Das öde Haus

6 Wimper] Wimpern *D*

67 Der Tod des Erzbischofs Engelbert von Cöln

133 sind] sinb *D*

80 Der Graue

25 macht'] macht *D*
73 Es] Er *D*
190 fragt'] fragt *D*
190 gestört?«] gestört? *D*

97 Die Vergeltung

104 Fünfhundertzehn.«] Fünfhundert-Zehn. *D*

109 Lebt wohl

14 Erschüttert, aber nicht zerdrückt,] Erschüttert aber nicht zerdrückt *J*

110 Grüße

46 die grauen Wimper] die graue Wimper *J*

111 Im Grase

4 Wolk'] Wolk *J*
32 meinen] einen *J*

113 Durchwachte Nacht

33 Seiger] Zeiger *J*
96 schmettern] schmetten *J*

116 Mondesaufgang

29 müsse] müßte *J*
44 Widerschein] Wiederschein *J*

117 Gemüt

13 Widerschein] Wiederschein *J*
33 goldnem] goldnen *J*

Die Orthographie der Texte wurde unter Wahrung des Lautstandes dem heutigen Gebrauch angeglichen. Die Interpunktion sowie die Schreibung von Eigennamen blieb durchweg gewahrt. Apostrophe wurden nur gesetzt, wo sie für das Textverständnis hilfreich erschienen.

Für Textkritik, Datierung (für die Entstehungszeit der Gedichte steht im Folgenden die Abkürzung *E*) und Kommentar konnte ich mich dankbar auf die grundlegenden Ergebnisse stützen, die innerhalb der historisch-kritischen Droste-Hülshoff-Ausgabe erarbeitet worden sind (im Folgenden abgekürzt: *HKA*). Dabei handelt es sich im Einzelnen um folgende Bände:

Annette von Droste-Hülshoff. Historisch-kritische Ausgabe. Hrsg. von Winfried Woesler. Tübingen: Niemeyer, 1978 ff.
Bd. 1,1–3: Gedichte zu Lebzeiten. Bearb. von Winfried Theiss und Winfried Woesler. 1985–98.
Bd. 2,1–2: Gedichte aus dem Nachlaß. Bearb. von Bernd Kortländer. 1994/98.
Bd. 4,1–2: Das Geistliche Jahr. Bearb. von Winfried Woesler. 1980/92.
Bd. 5,1–2: Prosa. Bearb. von Walter Huge. 1978.

Kommentar

Aus der Ausgabe der *Gedichte* von 1844

Zeitbilder

Die Folge der zehn Zeitbilder entstand zwischen dem Herbst 1841 und dem Frühjahr 1843. Der Titel weist sie der zu Beginn der 1840er Jahre in Deutschland modisch gewordenen Zeitdichtung zu, die sich bewusst in ein direktes Verhältnis zur gesellschaftlichen Wirklichkeit setzte. Allerdings war solche »Tendenzlyrik« vor allem eine liberale Hochburg mit Vertretern wie Georg Herwegh, Franz Dingelstedt oder August Heinrich Hoffmann von Fallersleben. Droste liefert mit ihren Zeitgedichten Beispiele für eine konservative, in Teilen gar reaktionäre Tendenzdichtung. Anders als bei den Liberalen stehen denn bei ihr auch nicht die aktuellen Fragen der Politik, sondern allgemeinere Fragen der ethischen Grundorientierung menschlichen Handelns im Zentrum der Kritik. Ausgehend von einem durch die göttliche Schöpfung gesetzten »Naturzustand« der Welt – der Begriff »Natur« nimmt in den Gedichten eine zentrale Stellung ein – erscheint ihr die Entwicklung ihrer Gegenwart als ebenso falsch und gefährlich wie jene Dichtung, die eine solche Entwicklung propagiert.

Der Gattungsname »-bild« im Titel war in der ersten Jahrhunderthälfte außerordentlich beliebt und weit verbreitet. Der Begriff ist sehr offen, deckt viele Schreibhaltungen ab, zielt aber prinzipiell auf eine empirisch gehaltvolle Darstellung eher als auf Abstraktion. So darf man ihn auch in diesem Zusammenhang verstehen: Droste will konkrete und wirklichkeitsgenaue Ausschnitte der Zeitverhältnisse geben. Allerdings wirkt das hohe Maß an sprachlicher und formaler Verdichtung und Verrätselung in diesem Punkt eher kontraproduktiv. Auch hier steht die Dichterin in genauem Gegensatz zur gängigen Machart liberaler Zeitgedichte, die mitreißen und aufrütteln wollen.

Ursprünglich sollten nicht die »Zeitbilder«, sondern das programmatische Gedicht *Mein Beruf* die Ausgabe der *Gedichte* eröffnen. Auf Vorschlag Levin Schückings, der die Ausgabe betreute und der sich davon einen Zuwachs an Aktualität erhoffte, wurden dann die Zeitgedichte an die Spitze gestellt.

11 Vor vierzig Jahren

E: September 1841 / Februar 1842.
J: *Morgenblatt für gebildete Leser*, 16. September 1844, S. 889 f.
D: *Gedichte*, 1844, S. 24–26.

Das Gedicht konfrontiert die gefühlsbetonte empfindsame Lyrik des 18. Jahrhunderts mit der herrschenden vormärzlichen Dichtung und ihrer Betonung des Intellekts, ihrem Hang zu Spott und Ironie, alles Merkmale, die Droste wiederholt an Vertretern des Jungen Deutschland und des Vormärz kritisiert. An anderer Stelle in den »Zeitbildern« verwendet sie für diese Dichter das Bild der »jugendlichen Greise« (*Die Gaben*, V. 30, Lesarten), denen hier die Vertreter der Empfindsamkeit positiv als kindliche Greise (V. 33 f.) entgegenstellt werden.

7 *Lieder in die Ferne:* vgl. etwa Friedrich Matthissons *Lied aus der Ferne.*

15 f. Die Athener fürchteten, bei ihren Gottesdiensten einen Gott zu vergessen, und widmeten deshalb einen Altar vorsorglich »einem unbekannten Gott«. Paulus greift das in seiner Predigt an die Athener auf (Apostelgeschichte 17,23).

17 *Brodem:* Rauch.

24 *Ekloge:* Idyllisches Hirtengedicht; Droste übersetzte in ihrer Jugend die ersten sechs *Eklogen* des Vergil.

32 *Basiliskenblick:* Der Basilisk sollte der Sage nach das töten, was er ansah.

36 *Ätherduft:* Dunst, hier metaphorisch für schon von geringsten Ereignissen ausgelöste Hochgefühle.

51 *Morganas Gärten:* Die Fee (ital. *fata*) Morgana war der Sage nach verantwortlich für Luftspiegelungen.

13 An die Weltverbesserer

E: September 1841 / Februar 1842.
J: *Morgenblatt für gebildete Leser*, 26. März 1842, S. 289 (Titel: *Warnung an die Weltverbesserer*). Nachdruck dieser Fassung in: *Kölnische Zeitung*, 1. April 1842; *Westfälischer Merkur*, 4. April 1842; *Politische Gedichte aus Deutschlands Neuzeit. Von Klopstock bis auf die Gegenwart*, hrsg. von Hermann Marggraff, Leipzig 1843, S. 350 f.
D: *Gedichte*, 1844, S. 27 f.

Das Gedicht gehört zu einer Serie von sieben in der Zeit zwischen Februar und September 1842 im *Morgenblatt* abgedruckten Droste-Gedichte, mit denen die Dichterin sich dem großen deutschen Publikum erstmals als Lyrikerin präsentierte. Die Auswahl der insgesamt zehn an die Redaktion der Zeitung eingesandten Texte hatte Levin Schücking besorgt. Vor allem *An die Weltverbesserer* erregte einiges Aufsehen, wie auch die Nachdrucke zeigen.

Dieses »Zeitbild« verkörpert in besonderer Weise den Typus des konservativen Tendenzgedichts, das sich gegen alle radikale Veränderung ausspricht. Der Zukunftshoffnung der fortschrittlichen Partei wird der eindringliche Aufruf zum Bewahren entgegengesetzt.

8 *Obol:* Antike Münze von geringem Wert, die dem Charon für die Überfahrt ins Totenreich zu zahlen war.
11 *Stalaktitendome:* Tropfsteinhöhlen kannte Droste aus dem Sauerland. Hier sind eher Grotten wie die gerade entdeckte »Blaue Grotte« in Capri gemeint, wovon die Dichterin Kenntnis hatte.
20 *mit blauen Malen:* Symptom der Beulenpest.
28–36 Anspielung auf den antiken Mythos, dem zufolge der Pfeil im Sternbild Schütze von Götterhand angehalten wurde. Sein Niederfallen würde das Weltende bedeuten.
31 *Ätherwogen:* Luftbewegungen.

14 Die Schulen

E: September 1841 / Februar 1842.
D: *Gedichte*, 1844, S. 33.

Gegen die ›Schulen‹ der Traditionalisten und der liberalen politischen Dichter, die ähnlich charakterisiert werden wie in *Vor vierzig Jahren*, stellt Droste in diesem programmatischen Gedicht, das die »Zeitbilder« beschließt, ihr ästhetisches Bekenntnis zu Natur und Natürlichkeit als der wahren Schule der Ästhetik. In einer durchgängig niedergeschriebenen ersten Version des Gedichts wird der Gegensatz noch schärfer herausgearbeitet.

8 *Obol:* s. *An die Weltverbesserer*, Anm. zu V. 8 (s. o.).
13 *die Katheder: Katheder* ist hier weiblich gebraucht.
16 *Matrikel:* Verzeichnis der eingeschriebenen Studenten.

Heidebilder

Der Landschaftsbegriff »Heide« war zur Droste-Zeit noch nicht so eingeschränkt wie heute. Man verstand darunter auch ein offenes, locker bewachsenes Gelände, das zugleich als Weideland diente. Gerade für das Münsterland sind solche Landschaften charakteristisch, und ausschließlich auf diese heimische Landschaft beziehen sich die Texte. Eine völlig andere Landschaft verbirgt sich hinter dem Begriff, wie ihn Nikolaus Lenau für seine »Heidebilder« verwendet. Droste folgt mit ihrer Hinwendung zur vertrauten Heimat einem Trend der Zeit, der sie mit Autoren wie Mörike oder Stifter verbindet und der ihr Werk auch in anderen Teilen geprägt hat, insbesondere in der Prosa, die beinahe vollständig in ihrer engeren Umgebung angesiedelt ist.

Der Gattungsname »-bild« (s. S. 153 zu »Zeitbilder«) beweist in diesem Zyklus in besonderem Maße seine Offenheit. Beinahe jedes Gedicht hat einen anderen Ton: Die Spannweite reicht von allegorisierenden Genrebildern (*Die Lerche*) über detailgenaue Landschaftsbeschreibungen ohne wirklichen Handlungsfaden (*Die Jagd*), idyllisch-nazarenische Szenen (*Das Haus in der Heide*), schaurige Naturvisionen (*Das Hünengrab*) bis zu balladesken Schauerstücken (*Der Heidemann*; *Der Knabe im Moor*). Auch formal, in Hinblick auf Strophenbau, Versmaß, Reimschema usw., ist die Variationsbreite groß. Ganz offenbar kam die offene Gattung der »Bilder« sowohl dem Hang der Dichterin zur detailrealistischen Naturdarstellung wie der Variation als ihrem vorrangigen Gestaltungsprinzip entgegen.

Darüber hinaus zeigen die verschiedenen Anordnungsversuche, die Droste mit den Gedichten des Zyklus unternahm, dass ihm auch andere Prinzipien als bloß das formale der Variation zugrunde liegen. Nicht zufällig steht ein Morgengedicht am Anfang und ein Nachtgedicht am Schluss: Der freundlich-helle Eindruck des Beginns verdüstert sich zusehends, und am Ende erscheint Natur als brodelndes und grausiges Chaos, aus dem sich der Knabe mit Mühe in den umgrenzten Bezirk des Hauses zu retten vermag.

16 Die Lerche

E: Februar/März 1842.
D: *Gedichte*, 1844, S. 37–40.

Die Allegorese des Sonnenaufgangs als Morgenzeremoniell einer erwachenden Fürstin, wobei die Lerche die Rolle der Anführerin des Hofstaates spielt, arbeitet bereits mit dem für die »Heidebilder« charakteristischen lautmalerischen Vokabular.

2 *verzittert:* verklingt (s. *Das Hirtenfeuer*, V. 60).
13 *Blinzt:* von *blinzen*, einer Unterform von *blinzeln*.
15 *Mandates:* Auftrags.
19 *Genziane:* Enzian.
24 *Maßliebchen:* Gänseblümchen, Marienblümchen.
27 *zage:* scheu, ängstlich (s. *Der Knabe im Moor*, V. 16).
29 *West:* (poet.) Westwind.
42 *florbeflügelt Volk:* Fliegen.
44 *krimmelt, wimmelt:* In dieser Kombination im Deutschen auch sonst vorkommende lautmalende Verdopplung, wie sie Droste gerne verwendet.
53 *reiche Katze:* gefüllte Geldkatze, Geldbeutel in Form eines Ledergurtes; Anspielung auf die Sammlung von Blütenstaub und Honig durch die Bienen.
55 *rummeln:* Geräusch machen.
70 *Demant:* Diamant.
74 *Stufen:* Stücke von Erzen oder Mineralien.

18 Die Jagd

E: Februar/März 1842.
D: *Gedichte*, 1844, S. 41–44.

[Titel] Das Gedicht hieß zunächst *Weidendes Vieh*, später dann *Jagd und Weidendes Vieh*, was den Eindruck des Genrebildes unterstreicht.
3 *Rispeln:* das Hervorbringen eines leisen, flüchtigen Geräusches.
7 *Tannicht:* Tannenwald.
16 *Mettennetz:* Spinnennetz.
24 *zuckeln:* auch *zockeln*: sich mit kleinen kurzen Schritten bewegen.
26 *die lebend'gen Glocken:* Anspielung auf das Geräusch einer ja-

genden Hundemeute. Die Hunde sind dressiert, nicht zu bellen oder andere laute Geräusche zu machen; die hechelnde Atmung erzeugt den eigentümlichen glockenähnlichen Klang (s. auch V. 49: »das Glockenspiel der Bracken«). Keineswegs sind Jagdhunde gemeint, die Glocken tragen, wie hier bislang stets kommentiert wurde.

32 *Phalänen:* Nachtfalter (s. *Der Heidemann*, V. 9).

33 *jappen:* (niederdt.) nach Beute schnappen; hier auch des lautmalerischen Wertes wegen benutzt.

38 f. *Socken / Lunte:* (jägersprachlich) die Läufe und der Schwanz des Fuchses.

41 *Schmehlen:* Grasart mit schlanken Halmen (s. *Das Hirtenfeuer*, V. 60; *Der Heidemann*, V. 17).

49 *Bracken:* Jagdhunde.

61 *knirrt:* knirscht mit den Zähnen.

62 *den gelben Rauch:* Staub, der beim Zertreten von Pilzen (Bovisten) entsteht.

67 *Heidekolke:* Heidetümpel (s. auch V. 69: »des Kolkes Spiegel«; vgl. *Der Weiher*, V. 71).

71 *des Dammes Mönch:* Zapfen im Abfluss eines Teiches.

73 *Sterke:* Kuh, die noch nicht gekalbt hat.

77 *halben Mond:* Jagdhorn mit halbmondartig gebogenem Rohr, das bei der Hundejagd verwendet wurde.

85–89, 98–103 Die beiden Strophen wurden offensichtlich einer Volksweise nachgebildet, die dem Hornsignal des Fuchs-tot-Blasens unterlegt war.

91 *Genist:* dichtes Buschwerk.

92 *Reifen:* kreisförmige Bewegungen.

22 Die Vogelhütte

E: Februar/März 1842.

D: *Gedichte*, 1844, S. 45–50.

[Titel] Vogelfänger benutzten bei der Jagd kleine Hütten als Verstecke. Zunächst hieß das Gedicht *Die Heerdhütte* in Anspielung auf die »Vogelherd« (V. 5) genannten Anlagen aus Fanggarnen und Lockvögeln, die in der Nähe der Hütten aufgestellt wurden.

2 *Sarge:* Anspielung auf die räumliche Enge der Hütte, deren

Grundfläche nur »sieben Schuhe ins Gevierte« (V. 3), d. h. sieben Fuß oder ca. 2,20 m im Quadrat umfasste.

24 *Kufe:* Bottich, Holzzuber.
Fass der Danaiden: Die Danaiden mussten zur Strafe ein Fass mit Wasser füllen, dessen Boden durchlöchert war.

46 *Heidebilder:* Der Titel wurde bereits von verschiedenen Autoren vorher benutzt (s. o.).

52 *Stöberrauch:* feiner Nebel.

53 *seladonen:* grün wie das Gewand des Céladon, Held im französischen Schäferroman *L'Astrée* von Honoré d'Urfé (1567–1625).

55 *Halkyonen:* Eisvögel.

60/116 *Hammer:* Anspielung auf das Hobby des Sammelns von Fossilien und Mineralien, wobei man einen Hammer als Werkzeug mit sich führt. Droste selbst war eine passionierte Gesteinssammlerin.

65 *Bort:* Saum.

76 *Bruder Tuck im Ivanhoe:* Gestalt aus dem Roman *Ivanhoe* (1820) von Walter Scott (1771–1832). Die Verse 71–76 spielen auf eine Episode im 16. Kapitel des Romans an, wo der Held von einem Einsiedler zunächst mit Erbsen, später mit besserer Nahrung versorgt wird (s. auch die Ballade *Der Graue*, V. 72, 89).

118 f. *der sein Federlesen … hat gehabt:* seine Zeit verschwendet hat.

120 *des Teiches Ried:* Rohrstauden am Teichrand.

27 Der Weiher

E: Februar/März 1842.

D: *Gedichte*, 1844, S. 51–54.

[Titel] Ursprünglich *Der Teich*, dann durch das süddeutsche Wort »Weiher« ersetzt. Möglicherweise geht diese Änderung auf Jenny von Laßberg, die Schwester der Dichterin, zurück, die am Bodensee lebte.

3 *Weste:* s. *Die Lerche*, Anm. zu V. 29 (S. 157).

6 *Blaugoldne Stäbchen und Karmin:* Libellen.

27 *Hänfling:* Singvogel.

44 *Blätterhag:* Hag: Buschwerk; Hecke.

48 *Fäden:* Wasserfäden, Grünalgengattung, deren Zerfaserung hier mit den Fasern des Asbest verglichen wird.
63 *Schmerle:* Karpfenfisch.
71 *Weiherkolke:* s. *Die Jagd*, Anm. zu V. 67 (S. 158).

30 Der Hünenstein

E: Februar/März 1842.
D: *Gedichte*, 1844, S. 55–57.

[Titel] Weitere erwogene Titel für dieses Gedicht waren *Das Hünengrab* und *Die Hünensteine.* Gemeint sind Findlinge, mit denen in der Vorzeit Grabbauten errichtet wurden; wegen ihrer gewaltigen Größe als »Hünengräber« bezeichnet.
5 *Mahr:* Gespenst.
15 *Pfennigs-Magazin:* Das *Pfennigs-Magazin der Gesellschaft zur Verbreitung gemeinnütziger Kenntnisse* erschien seit 1833 und war so etwas wie die erste deutsche Illustrierte.
22 *Schröter:* Hirschkäfer.
jach: plötzlich.
27 *Porphyrbrode:* Porphyr ist ein Gemisch aus verschiedenen Mineralien; *-brode* der Plural von *Brot*, womit die Gestalt der Findlinge beschrieben wird.
30 *Ginsterlode:* Ginsterschössling (s. *Das öde Haus*, V. 4; *Der Dichter – Dichters Glück*, V. 41).
45 *Barren:* Barriere.
52 *Drude:* germanische Priesterin, Hexe.
55 *Schuh:* Fuß, damals gebräuchliches Längenmaß, ca. 0,3 m (s. *Die Vogelhütte*, V. 3).
68 *im heil'gen Bad geweiht:* getauft.
69 *Kirchenduft:* Weihrauch.
74 *Herr:* Auch in *Die Mergelgrube* wird das lyrische Ich als »Herr« angesprochen.

32 Die Steppe

E: Februar/März 1842.
D: *Gedichte*, 1844, S. 58.

Droste hat bereits in ihren Versepen *Des Arztes Vermächtnis* und *Die Schlacht im Loener Bruch* die Heidelandschaft mit dem Meer verglichen, allerdings nie mit einer derartigen Konsequenz wie hier, wo die Heide schließlich zur Metapher des Meeres wird.

[Titel] Erwogen wurden zunächst die Überschriften *Im Sande* und *Die Haard*, der Name eines sandigen Hügellandes bei Haltern im Münsterland.

5 *Schmugglerquellen:* versteckte Rinnsale.

13 *Korsaren:* vielleicht Anspielung auf die Figur eines Schäfers.

17 *das Tau zu schlagen:* (fachsprachlich) ein Tau drehen; hier Assoziation zur Tätigkeit der Schäfer, die gewöhnlich ihre Wolle verarbeiteten, d. h. entweder spannen oder strickten.

21 *Toppes Kunkel:* Die Mastspitze (Topp) wird mit einem Spinnrocken (Kunkel) verglichen, von dem die Fäden herunterhängen wie von der Mastspitze die Takelage.

24 *Weihenneste: Weihe* ist die Bezeichnung für die mittelgroßen Greifvögel.

33 Die Mergelgrube

E: Februar/März 1842.

D: *Gedichte*, 1844, S. 59–63.

[Titel] Mergel ist eine Mischung aus Ton und Kalk, die als Dünger auf den Feldern Verwendung fand und aus eigens angelegten Mergelgruben abgebaut wurde. Auch in der Nähe des Rüschhauses gab es verschiedene solcher Gruben, die für Fossilien- und Mineraliensammler wie Annette von Doste-Hülshoff einen ganz besonderen Reiz hatten.

1 *Scheit:* Spaten.

Spannen: altes Längenmaß; Abstand zwischen Daumenspitze und Mittelfinger, etwa 20 cm.

3 *Gant:* Versteigerung.

5 *Pardelfell:* Leopardenfell.

10 *sturt:* (norddt.) stiert, starrt.

Gneus: Gneis; Gestein, das aus Feldspat, Quarz und Glimmer besteht.

11 *Spatkugel:* Spat ist ein Mineral aus der Ordnung der Karbonate.

13 *Porphyre:* Porphyr ist ein Gemisch aus verschiedenen Mineralien (s. *Der Hünenstein*, V. 27).

14 *Ockerdruse:* Druse meint einen Hohlraum im Gestein. Ocker

ist ein gelblicher Brauneisenstein, der in Kalkknollen enthalten ist, die sich im Mergel finden lassen.

18 *Leviathan:* Der sagenhafte Drache verkörpert im Alten Testament die Macht des Chaos.

39 f. Ähnlich wird das Moor auch in *Der Knabe im Moor* beschrieben.

41 *Rispeln:* leises, flüchtiges Geräusch (vgl. *Die Jagd*, V. 3).

53/81 *Hohl:* Höhle.

57 *Medusen:* Quallen.

62 *Petrefakt:* Versteinerung. Die Dichterin besaß selbst eine Sammlung von Versteinerungen.

64 *Grand:* Kies.

76 *Skarabäus:* heiliger Käfer der Ägypter; sein Bild fand man häufig bei Mumien.

78 *Byssusknäuel:* Byssus war ein Gewebe aus feinen Leinfäden, womit in Ägypten die Häupter vornehmer Verstorbener umwickelt wurden.

83 *Karniol:* roter Quarz.

94 *Garngestrehle:* gesträhltes (gekämmtes) Garn.

95–106 Vermutlich stammt dieses Lied von Droste selbst und ist kein authentisches Volkslied.

110 *Weihel:* Nonnenschleier (s. *Die Krähen*, V. 113).

112 *Bertuchs Naturgeschichte:* Das von Friedrich Justin Bertuch aus Weimar herausgegebene *Bilderbuch für Kinder* in 12 Bänden befand sich in der 2. Auflage (1796–1834) in der Hausbibliothek von Schloss Hülshoff. Es wurde von Droste oft benutzt.

114 *Herr:* Wieder wird das lyrische Ich, wie schon in *Der Hünenstein* (V. 74), als Herr angesprochen.

116 *Genesis:* Die Betonung auf der zweiten Silbe entspricht dem Gebrauch der Zeit.

37 Die Krähen

E: Februar/März 1842.
D: *Gedichte*, 1844, S. 64–70.

Das Gedicht gehört thematisch in den Umkreis des Epos *Die Schlacht im Loener Bruch* von 1837/38. Das dort zugrunde liegende Ereignis, die Schlacht bei Stadtlohn am 6. August 1623 zwischen dem Heer des Herzogs Christian von Braunschweig, der im Dienst der protestantischen Union stand, und den katholischen Truppen des Grafen Tilly steht auch im Mittelpunkt der Erzählung der ersten Krähe.

[Titel] Zunächst hieß das Gedicht *Die Raben*; der Titel wurde erst in der Druckfahne abgeändert.

8 *Kanker:* Spinne.

16/101 *kraut:* kratzt.

20 *Heidekolke:* s. *Die Jagd*, Anm. zu V. 67 (S. 158).

44 *Sankt Görgen:* Ein reitender St. Georg wurde oft als Motiv für Wetterfahnen verwendet.

47 *getrillt:* herumgedreht.

51 *der Halberstadt:* Herzog Christian von Braunschweig, Bischof von Halberstadt (1599–1626), der ›tolle Herzog‹.

55 *Kuppel:* Koppel, Gürtel der Soldaten.

62 *Schnat:* Grenze, Flurmarke.

64 *Drometen:* Trompeten.

68 *Gleise:* Wagenspuren.

69 *Granat' und Wachtel:* Wachtel nannte sich eine spezielle Form von Granatenmunition.

71 *Bruch:* sumpfiges Gelände, typisch für die Heide; s. *Das Hirtenfeuer*, V. 65, *Der Heidemann*, V. 1, 24.

74 *Banden:* Bezirk, Gelände (Pluralwort).

90 *der Baier:* Johannes Graf von Tilly (1559–1632), Heerführer der katholischen Liga in bayrischen Diensten und Gegenspieler Christian von Braunschweigs.

110 *Seladon:* nach Céladon, einem Helden im Schäferroman *L'Astrée* von Honoré d'Urfé (1567–1627); hier Verweis auf den altmodischen Hintergrund des Redners (s. *Die Vogelhütte*, V. 53).

113 *Weihel:* Nonnenschleier (s. *Die Mergelgrube*, V. 110).

118 *Tobias' Hündlein:* Die Geschichte von Tobias aus Ninive, der von einem Hund begleitet eine Reise unternimmt, steht im Alten Testament im Buch Tobias.

122 *Paternoster:* Rosenkranz.

125 *Schaube:* langes Obergewand der Frauen.

147/156 *Quadrum:* vom Kreuzgang umgebener viereckiger Platz im Kloster.

172 *plumpt:* plumpen: schwer aufschlagend fallen oder springen.

173 *Walhall:* Götterhimmel in der germanischen Mythologie.
174/180 *Teut und Thor:* »Thor« war die altnordische Bezeichnung für den Donnergott; »Teut« eine im 18. und 19. Jh. verbreitete Phantasiebezeichnung für einen germanischen Gott, angelehnt an Namen wie *Tuisto* oder *Teutone.*

42 Das Hirtenfeuer

E: Februar/März 1842.
D: *Gedichte*, 1844, S. 71–73.

15 *Funkenflinster:* Wortschöpfung Drostes; gemeint ist das flimmernde Verglühen der auffliegenden Funken.
18 *des Stahles Picken:* Geräusch beim Feuermachen, wenn Stahl auf Stein geschlagen wird.
24 *Lohe:* auflodernde Flamme.
26 *Windel:* Windung.
32 *Funken-Girandolen:* Girandolen sind Feuerwerkskörper.
50 *Ginsterschütte:* mit Ginster bestandene Aufschüttung.
60 *verzittert:* s. *Die Lerche*, Anm. zu V. 2 (S. 157).
Schmehlen: s. *Die Jagd*, Anm. zu V. 41 (S. 158).
61–67, 70–76 Nachgestaltung eines Volksliedes durch die Dichterin; bei dem Ruf »Helo, heloe« handelt es sich um einen echten Hirtenruf.
65 *Bruch:* s. *Die Krähen*, Anm. zu V. 71 (S. 163).
73 *Kamp:* abgegrenztes Stück Ackerland oder Wiese.
74 *Brahm:* Ginster.

45 Der Heidemann

E: Februar/März 1842.
D: *Gedichte*, 1844, S. 74–76.

Anders als ihr Bekannter, der Dichter Wilhelm Junkmann, in seiner Ballade *Der Heidemann* (1836), macht Droste eben nicht die in Westfalen bekannte Spukgeschichte, sondern das Naturphänomen des langsam aufsteigenden Heidenebels zum Thema.

1/24 *Bruch:* s. *Die Krähen*, Anm. zu V. 71 (S. 163).
9 *Phalän':* s. *Die Jagd*, Anm. zu V. 32 (S. 158).
17 *Schmehle:* s. *Die Jagd*, Anm. zu V. 41 (S. 158).
30 *Proteus:* Er hütet die Robben des Poseidon im ägyptischen Meer.

59 *der Nord entzündet sich:* Das Phänomen des Nordlichts hat Droste gelegentlich beobachten können, so etwa im Februar 1831 in Plittersdorf bei Bonn. Nordlichter galten im Volksglauben als Vorboten für schlechte Zeiten.

47 Das Haus in der Heide

E: Februar/März 1842.
D: *Gedichte*, 1844, S. 77 f.

Dieser Text wurde zusammen mit einer Annonce für die Gedichtausgabe am 14. September 1844 im *Morgenblatt* vorabgedruckt und gelangte über diesen Druck in verschiedene zeitgenössische Anthologien.

6 *Sterke:* s. *Die Jagd*, Anm. zu V. 73 (S. 158).
12 *Sonnenwende:* nicht näher zu bestimmende Blume.
38 *Wolkenfloren:* Wolkenschleiern.

49 Der Knabe im Moor

E: September 1841 / Februar 1842.
J: *Morgenblatt für gebildete Leser*, 16. Februar 1842, S. 159 f.
D: *Gedichte*, 1844, S. 79 f.

Ein Gedicht mit dem Titel *Der Heidemesser*, das unter dem Verfasserkürzel B. H. am 18. Dezember 1837 im Unterhaltungsblatt des *Westfälischen Merkur* in Münster erschien und der Dichterin bekannt war, könnte Anregungen für das Droste-Gedicht geliefert haben. Es schildert im ersten Teil, wie ein Knabe beim Lauf durch die Heide von Grausen gepackt wird und sich erst wieder in der warmen Hütte erholt.

13 *Gräberknecht:* Torfstecher.
16 *zage:* s. *Die Lerche*, Anm. zu V. 27 (S. 157).
23/35 *Spinnlenor / verdammte Margreth:* Figuren aus dem münsterländischen Volksaberglauben. In beiden Fällen handelt es sich um Spinnerinnen, die mit einer falsch bemessenen Haspel betrogen, dafür verdammt wurden und als Wiedergängerinnen durchs Moor geisterten.
40 *Moorgeschwele:* hier: Nebeldunst im Moor.
43 Vgl. das Motiv ähnlich in *Mondesaufgang*, V. 40.

Fels, Wald und See

Diese relativ kleine Gruppe von Naturgedichten hat Droste erst kurz vor der Absendung des Manuskripts für den Band *Gedichte* im Januar 1844 zusammengestellt. Im Vordergrund steht das Element »See« mit Gedichten auf den Bodensee und seine Landschaft; daneben ist aber auch die westfälische Waldlandschaft präsent (*Das öde Haus*; *Im Moose*). Ein bestimmtes Anordnungsprinzip lässt sich nicht erkennen; die Dichterin hat immerhin versucht, die Texte, die ihr zu gleichförmig erschienen (s. S. 167f. zu »Gedichte vermischten Inhalts«), so gut es ging zu variieren.

51 Am Turme

E: September 1841 / Februar 1842.
J: *Morgenblatt für gebildete Leser*, 25. August 1842, S. 809.
D: *Gedichte*, 1844, S. 92 f.

Bei ihrem ersten Meersburg-Aufenthalt, als dieses Gedicht entstand, bewohnte Droste ein Zimmer im nordöstlichen Turm der alten Burg, auf der vom See abgewandten Seite. Erst beim zweiten Besuch 1843/44 bezog sie eine Wohnung im südöstlichen Turm an der Seeseite. Diese Szenerie bildet den Hintergrund für das vorliegende Gedicht.

3 *Mänade:* Mänaden waren Bacchantinnen im Gefolge des Dionysos.
5 *Fant:* leichtfertiger Bursche.
11 *Geklaff:* Gekläff.

52 Das öde Haus

E: Mai/Dezember 1843.
D: *Gedichte*, 1844, S. 94–96.

1 *Tobel:* Waldschlucht (s. *Die Schwestern*, V. 11)
4 *Lode:* Schössling (s. *Der Hünenstein*, V. 30; *Der Dichter – Dichters Glück*, V. 41).
18 *Joch:* Dachfirst.
26 *Schober:* Stroh.
46 *Wergs:* Werg ist der Abfall bei der Hanf- und Flachsverarbeitung.

54 Im Moose

E: September 1841 / Februar 1842.
J: *Morgenblatt für gebildete Leser*, 4. März 1842, S. 213 f.
D: *Gedichte*, 1844, S. 97 f.

24 *Borden:* Rändern.
36 *quillen:* Nebenform zu *quellen*.
45 *Hage:* s. *Der Weiher*, Anm. zu V. 44 (S. 159).

56 Am Bodensee

E: September 1841 / Februar 1842.
D: *Gedichte*, 1844, S. 99–101.

12/40 *Bord:* Rand.
35 *grauen Tor:* Anspielung auf das Tor der Meersburg.
43 f. Hier wird auf die Sitte angespielt, durch das Abzählen der Blütenblätter scherzhaft zu ermitteln: »er/sie liebt mich, liebt mich nicht«.

58 Das alte Schloss

E: September 1841 / Februar 1842.
D: *Gedichte*, 1844, S. 102 f.

Das Gedicht entstand auf der Meersburg, die auch die Kulisse abgibt: mit dem »grauen Tor«, der Wandelhalle, dem Blick auf Altstadt und See u.a.

18 *Grauen Tores:* s. *Am Bodensee*, Anm. zu V. 35 (s.o.).
21 *Riegelzüge:* zur Bedienung der Türverriegelung.

Gedichte vermischten Inhalts

In dieser Abteilung kommt das herrschende Drostesche Gestaltungsprinzip der Variation besonders stark zum Tragen. Zwar hielt sie diese Gedichte im Einzelnen nicht für ihre besten, doch gefiel ihr an der Zusammenstellung die Mischung der Töne und die Vermeidung des Monotonen: »wenigstens nehmen sich die ›vermischten Gedichte‹ unendlich besser aus«, schreibt sie; sie merke selbst, »daß ich über ähnliche Gegenstände auch immer in ähnlichem

Tone schreibe, und deßhalb kein Zusammenstellen vertragen kann« (Brief an Levin Schücking, 17. Januar 1844). In der Tat mischen sich Freundschaftsgedichte mit Dichtergedichten, Gedankenlyrik mit Gelegenheitsversen. Auch die Entstehungszeit der Texte reicht von den zwanziger Jahren bis in das Jahr 1844.

60 Mein Beruf

E: September 1841 / Februar 1842.
J: *Morgenblatt für gebildete Leser*, 14. September 1844, S. 885 f.
D: *Gedichte* 1844, S. 115–117.

Dieses »Dichtergedicht« Drostes stellt die Poesie ganz in den Dienst von Religion und Moral. Sie soll den Menschen aufrütteln, ihn auf den Weg des Guten führen. Gerade gegen dieses zeittypische Programm vom Nutzen der Kunst hat Droste aber ihre bleibenden Texte verfasst.

4 *Parnasse:* Der Parnass war der Berg des Apoll und der Musen, das Reich der Dichtung.
14 *Moorgeschwele:* s. *Der Knabe im Moor*, Anm. zu V. 40 (S. 165).
18 *Datura:* stark duftende Zierpflanze, deren weiße Blüte narkotische Wirkungen besitzt.
30 *Panier:* Banner, Wahlspruch.

62 An ***

E: Oktober 1841 / Februar 1842.
D: *Gedichte*, 1844, S. 165.

Widmungsgedicht an Levin Schücking, das während des gemeinsamen Aufenthaltes auf der Meersburg entstand. Schücking selbst hat später sein Verhältnis zu Droste mit der Beziehung Rousseaus zu Frau von Warens verglichen und damit die Dimension der geistigen Freundschaft unterstrichen. Zu diesem Gedicht teilt er die Anekdote mit, es sei nach einem Streit entstanden, und die »feindlich starren Pole« (V. 8) seien sein Liberalismus und der Aristokratismus Drostes.

19 *Pollux und Castor:* Halbbruderpaar der griechischen Mythologie, Inbegriff der Treue: Pollux, als Sohn des Zeus unsterblich, folgte dem sterblichen Kastor in den Hades. Daraufhin wurde

ihnen erlaubt, abwechselnd im Olymp bzw. in der Unterwelt ihre Tage zu verbringen. Sie wurden mit einem hellen und einem dunklen Stern im Sternbild Gemini identifiziert und als solche zu Schutzpatronen der Seeleute.

22 *Dioskur:* Zeussohn; die beiden Brüder wurden auch ›die Dioskuren‹ genannt.

24 *überm Helm die Zwillingsflamme:* Anspielung auf die Vorstellung, die Dioskuren erschienen in dunkler Nacht als sog. Elmsfeuer auf den Helmen der Soldaten. Eine doppelte Flamme verhieß dabei Glück.

63 Die Taxuswand

E: September 1841 / Februar 1842.
J: *Morgenblatt für gebildete Leser,* 12. August 1842, S. 765 f.
D: *Gedichte*, 1844, S. 189 f.

Eine Taxus- bzw. Eibenhecke befand sich im Park des Bökerhofes, der den Hintergrund zu diesem Gedicht abgibt. Bei der mütterlichen Verwandtschaft im ostwestfälischen Bökendorf begegnete Droste während der Besuche in den Jahren 1818–20 den Studenten Heinrich Straube und August von Arnswaldt, in die sie sich verliebte. Unter Mitwirkung ihres Onkels August von Haxthausen wurden diese Beziehungen im Sommer 1820 auf ziemlich brutale Weise unterbrochen, ein Vorgang, unter dem die Dichterin lange zu leiden hatte.

14 *Paradiesestor:* Der Bezug auf das Drama um die Jugendliebe Drostes ist naheliegend.

37 f. Der Taxus galt im Volksglauben als giftig.

47 f. Anspielung auf die Stelle in Shakespeares *Hamlet* (Hamlets Monolog; III,1): »Sterben – schlafen / Nichts weiter!«

65 Die Unbesungenen

E: Mai/November 1843.
D: *Gedichte*, 1844, S. 198.

65 Das Spiegelbild

E: September 1841 / Februar 1842.
D: *Gedichte*, 1844, S. 199 f.

16 *Fron:* schwere Arbeit.
18 *Glast:* Widerschein.
31 Anspielung auf die Geschichte von Moses auf dem Berg Horeb, 2. Mose 3,5.

Balladen

In der Ausgabe der *Gedichte* von 1844 finden sich in dieser Abteilung insgesamt 18 Texte versammelt. Doch werden üblicherweise weitere Texte wie etwa *Der Knabe im Moor* zu den Balladen gezählt, wenngleich Droste selbst dieses Gedicht zu den »Heidebildern« stellte. Den Höhepunkt ihres Balladenschaffens bilden die Monate zwischen September 1840 und Mai 1841, als die meisten Balladen entstanden. Anlass war das Projekt zu dem Buch *Das malerische und romantische Westphalen* (Barmen/Leipzig 1841), das zunächst von dem Dichter Ferdinand Freiligrath (1810–1876), später dann de facto allein von Levin Schücking fertiggestellt wurde, wenngleich der Name des damals berühmten Freiligrath aus Reklamegründen auf dem Titel stehen blieb. Droste hatte Schücking Hilfe versprochen, als er im September 1840 den Vertrag übernahm. Sie lieferte einerseits Prosaskizzen über ihr bekannte Landstriche Westfalens, andererseits stellte sie acht Balladen zur Verfügung, von denen sechs ohne Namensnennung im *Malerischen und romantischen Westphalen* gedruckt wurden. Dabei lassen sich zwei Arbeitsphasen unterscheiden, in denen sie auch thematisch unterschiedliche Akzente setzte. In der ersten Phase entstehen vor allem Gedichte, die Stoffe aus dem Bereich des Übernatürlichen zum Inhalt haben, sogenannte Gespenster- oder Geisterballaden. Gerade in jener Grenzerfahrung zwischen Vernunft, übersinnlicher Realität und Täuschung sah Droste selbst ihre besondere Stärke und die Stärke der modernen deutschen Poesie insgesamt. Der deutsche Autor, schreibt sie, lege »gewöhnlich Etwas von ihm nur halb Bezweifeltes zum Grunde – Etwas, das ihn beym Erzählen mit einem Schauer überrieselt hat, und diesen Schauer – dieses Schwanken – zwischen geistigem Einfluß?

unerklärter Naturkraft? unabsichtlicher Täuschung? – läßt er auch über seine Leser herrieseln« (Brief an Elise Rüdiger, 5. September 1843). Das beschreibt sehr schön das Bauprinzip ihrer eigenen Geisterballaden. Mit Beginn des Jahres 1841 setzte dann, teilweise auf Verlangen des Verlegers des *Malerischen und romantischen Westphalen*, eine zweite Arbeitsphase ein, in der Droste vor allem Stoffe aus der westfälischen Geschichte und Sage verarbeitete. Sie folgte hier nicht nur dem Muster der Bücher aus der Reihe des *Malerischen und romantischen Deutschland*, sondern einem verbreiteten Trend, der insbesondere durch Ludwig Uhland (1787–1862) gestiftet wurde, dem immer noch bekanntesten und meistgelesenen Schriftsteller der Zeit. In der Meersburger Zeit 1841/42 entstanden dann noch weitere vier Texte, darunter einige Schicksalsballaden wie *Die Vergeltung*.

67 Der Tod des Erzbischofs Engelbert von Cöln

E: April/Mai 1841.
D[1]: Ferdinand Freiligrath / Levin Schücking, *Das malerische und romantische Westphalen*, Barmen/Leipzig 1841, S. 226–230.
D[2]: *Gedichte*, 1844, S. 274–279.

Als letzte der für Levin Schückings Buch *Das malerische und romantische Westphalen* konzipierten Balladen entstanden und dort ohne Titel abgedruckt. Die Ballade vom *Erzbischof Engelbert* hielt Droste selbst für eine ihrer besten (Brief an Schücking, 27. Mai 1842). Für die Abfassung des Textes hat sie intensive Quellenstudien betrieben und auch Notizen gemacht, die sich erhalten haben. Als Quellen hat die Forschung identifiziert: Montanus (d. i. Vincenz von Zuccalmaglio), *Die Vorzeit der Länder Kleve-Mark, Jülich-Berg und Westfalen*, Bd. 2, Solingen 1837, S. 406–423 (ausweislich der Notizen die wichtigste Quelle); J. F. Knapp, *Regenten- und Volksgeschichte der Länder Kleve, Mark, Jülich, Berg und Ravensburg*, Bd. 1, Krefeld 1836, S. 450–461 (diese beiden Bände standen in der Hülshoffer Hausbibliothek); Friedrich Rautert, *Die Ruhrfahrt. Ein historisches Gemälde*, Essen 1827, S. 71–91; Heinrich Manz: *Die Isenburg, oder Friedrich von Isenburg und Engelbert der Heilige. Eine historische Skizze*, Dortmund 1836. Auch der Verleger des *Malerischen und romantischen Westphalen*, Wilhelm Langewiesche, hatte den Stoff in einer Ballade bearbeitet und wollte ihn Schücking zum Abdruck zur Verfügung stellen, der aber mit der Qualität nicht einverstanden war und Droste um Hilfe bat.

Der Ballade liegt folgende historische Episode zugrunde: Engelbert I. (1185–1225), seit 1216 Erzbischof von Köln, wurde von Kaiser Friedrich II. zum Reichsverweser und Vormund von Friedrichs Sohn Heinrich ernannt, den er 1222 zum König krönte. Mit seinem entfernten Verwandten Graf Friedrich von Isenburg lag Engelbert aus zwei Gründen im Streit: Einmal enthielt er dessen Schwager Heinrich von Limburg die Grafschaft Berg widerrechtlich vor; zum Zweiten weigerten sich das Damenstift Essen und die Abtei Werden, von Engelbert aufgehetzt, Friedrich die ihm zustehenden Einkünfte zu gewähren. Auf der Rückkehr vom westfälischen Fürstentag, wo er Friedrich von Isenburg schwer gedemütigt hatte, wurde Engelbert am 7. November 1225 von Friedrich und seinen Leuten in einem Hohlweg in der Nähe von Gevelsberg an der Ruhr überfallen und ermordet. Die Stadt Köln setzte ein Kopfgeld auf Friedrich aus, der gefasst und am 14. November 1226 auf dem Rad hingerichtet wurde.

7 *Bug:* Schulter des Pferdes.

15 *Überwind:* Windschatten.

27 *Den freien Stegreif Euch verrannt:* Anspielung darauf, dass Engelbert Friedrich an der Ausübung des für seinen Lebenserhalt notwendigen Raubrittertums hinderte.

31 *Schwäher:* Schwager.

37 *Im härnen Sünderhemd:* Engelbert hatte Friedrich auf dem westfälischen Fürstentag zum Tragen des Sünderhemdes (das hären – aus Haar gefertigt – war) verurteilt.

43 *Fant:* s. *Am Turme*, Anm. zu V. 5 (S. 166).

60 *Reichsverweser:* Verwalter, der in Abwesenheit des Reichsoberhauptes die Geschäfte führte.

61 *Klerisei:* Klerus, Priesterschaft.

62 *Reis'ger:* Reisige: bewaffnete Reiter.

65 *Wunderdomes:* Engelbert unterstützte den Bau des Kölner Doms.

135 *Rabensteine:* Richtplatz.

142 *Ampeln:* von der Decke herabhängende Schalen.

146 *Tedeum:* (von lat. *Te deum laudamus* ›Dich Gott loben wir‹) liturgischer Messgesang.

72 Der Fundator

E: September 1841 / Februar 1842.
D: *Gedichte* 1844, S. 289–293.

Hinter der Gestalt des Fundators (Stifters, Gründers) verbirgt sich die historische Figur des mit Droste verwandten westfälischen Freiherrn Hermann Werner von Wolff-Metternich zur Gracht, Fürstbischof zu Paderborn (1683–1704), der den Grund für den Besitz der Familie Wolff-Metternich im Bereich der Abtei Corvey an der Weser gelegt hatte. Einer Familiensage nach sollte er in einem von ihm errichteten Turm bei Schloss Wehrden spuken, dem Wohnsitz der Familie Wolff-Metternich. Droste kannte Wehrden von Besuchen im Jahre 1820.

54 *der Warte Rund:* der runde Wachturm.
105 *Schnarchen:* Schücking hat diesen Ausdruck moniert, doch Droste bestand auf ihrer Version: »Schwäne haben keine andre Stimme, als ein leises Schnarchen« (an Schücking, 7. Februar 1844).
111 *Nösterlein:* Diminutiv zu *Paternoster:* Rosenkranz.

76 Vorgeschichte (Second sight)

E: Dezember 1840 / Januar 1841.
D[1]: Ferdinand Freiligrath / Levin Schücking, *Das malerische und romantische Westphalen*, Barmen/Leipzig 1841, S. 125–128.
D[2]: *Gedichte*, 1844, S. 294–298.

Die Gabe des »zweiten Gesichts«, das »Vorsehen« zukünftiger Ereignisse, galt Droste als typische Eigenschaft der Westfalen. In ihrem Prosatext *Westphälische Schilderungen aus einer westphälischen Feder* hat sie das Phänomen ausführlich beschrieben: »Der Vorschauer (Vorgucker) im höheren Grade ist auch äußerlich kenntlich an seinen hellblonden Haaren, dem geisterhaften Blitze der wasserblauen Augen, und einer blassen oder überzarten Gesichtsfarbe [...]. Seine Gabe überkömmt ihn zu jeder Tageszeit, am häufigsten jedoch in Mondnächten, wo er plötzlich erwacht, und von fieberischer Unruhe ins Freie oder ans Fenster getrieben wird« (HKA Bd. 5,1, S. 72).

Das in der Ballade beschriebene »Vorgesicht« wird einem Bruder der Drosteschen Urgroßmutter väterlicherseits, Kaspar Nikolaus Mauritz von Kerkerinck (1713–1746), zugeschrieben, der mit seiner Frau, einer geborenen Droste zu Vischering, einen einzigen Sohn hatte. Schücking schickt dem Abdruck im *Malerischen und romantischen Westphalen* die Bemerkung voraus, »dass den Sarg eines Kindes nach adligem Gebrauch die Wappen von Vater und Mutter schmücken, Rosen und Pfeile also hier dem schauenden Freiherr seines Sohnes Sarg, Rosen allein den eignen bezeichnen müssen« (S. 124). Die schauerliche Stimmung der Ballade resultiert aber nicht nur aus dem Stoff, sondern auch aus dem hohen Grad an sprachlicher Verrätselung.

[Titel] *Second sight:* (engl.) Zweites Gesicht. Eine ähnliche Gabe wie den Westfalen wird auch den Schotten zugeschrieben.

25 *Ahasver:* der Ewige Jude, der einer Legende zufolge als Untoter die Welt durchwandern muss, weil er Jesus auf dem Kreuzweg nicht hatte ausruhen lassen.

39 *Spann':* s. *Die Mergelgrube*, Anm. zu V. 1 (S. 161).

79 ff. Der Leichenzug wurde in westfälischen Adelshäusern traditionell nachts bei Fackelschein abgehalten.

91 *Kastellan:* Burgvogt.

92 *Pleureuse:* (frz.) Trauerbesatz.

102 *vernagelt nach altem Brauch:* Durch entsprechendes Beschlagen wurde bewirkt, dass die den Trauerwagen ziehenden Pferde hinkten.

104 *Krepp:* Schwarzes Krepppapier zum Zeichen der Trauer.

80 Der Graue

E: Januar/April 1840.
D[1]: Ferdinand Freiligrath / Levin Schücking, *Das malerische und romantische Westphalen*, Barmen/Leipzig 1841, S. 114–118 (V. 17–72 fehlen).
J: *Frauen-Spiegel. Vierteljahrschrift für Frauen*, hrsg. von Louise Marezoll, Leipzig 1841, Bd. 1, S. 210–215.
D[2]: *Gedichte*, 1844, S. 299–306.

Die Ballade greift auf Motive aus der romantischen Schauerliteratur zurück, bricht diese aber zugleich im Bezug auf die bürgerlich-moderne Sphäre der Industrie und des Literaturbetriebs (Papiermühle). Belgien als Ort, an dem die Handlung spielt, verkörpert bei Droste auch an anderer Stelle die nüchterne Kaufmannswelt (vgl. das Prosafragment *Joseph*).

4 *Doppelhaken:* Geschütz.
11 *Stempel:* Kolben.
11–14 Vorgang der Papierherstellung.
14 *Scheidewasser:* Salpetersäure.
16 *Moulin à papier:* (frz.): Papiermühle.
39 *Waller:* Eigenname.
40 *Smyrna:* das heutige Izmir.
72 *Ivanhoe:* Titel eines Romans (1820) von Walter Scott (s. *Die Vogelhütte*, V. 76).
89 *Bruder Tuck:* Figur aus *Ivanhoe.*
131 *Qui vive!:* (frz.): Wer da?
133 *ou je tire!*: (frz.): oder ich schieße!
177 *je te tiens!*: (frz.): ich habe dich!

87 Das Fräulein von Rodenschild

E: November/Dezember 1840.
D[1]: Ferdinand Freiligrath / Levin Schücking, *Das malerische und romantische Westphalen*, Barmen/Leipzig 1841, S. 58–60.
D[2]: *Gedichte*, 1844, S. 314–317.

Das Doppelgängermotiv als eines der beliebtesten Motive der deutschen Schauerromantik findet bei Droste mehrfach Verwendung (vgl. z. B. das Gedicht *Das Spiegelbild*). Anregungen aus der Literatur waren entscheidend für dieses Gedicht, und wenn Levin Schücking in *Annette von Droste-Hülshoff. Ein Lebensbild* (Hannover 1862, S. 114 ff.) ein eigenes Erlebnis Drostes zugrunde legt, so projiziert er das Gedicht in die Biographie der Dichterin zurück, ein später zur Romantisierung ihrer Biographie auch sonst gern benutztes Verfahren.

7 *Seiger:* Uhr (vgl. *Durchwachte Nacht*, V. 33).
16 *Hinde:* Hirschkuh (vgl. *Der Schlosself*, V. 50).
28 *Oger:* (frz. *ogre*) Menschenfresser aus französischen Märchen.
49 Blaues Licht ist Zeichen für ein gespenstisches Phänomen (s. auch V. 59 und *Der Schlosself*, V. 70).
64 *fahn:* fangen, ergreifen.
102 Das Motiv des Erschreckens vor der eigenen Hand ist seit Goethes *Werther* in der Literatur verbreitet.

90 Die Schwestern

E: September 1841 / Februar 1842.
D: *Gedichte*, 1844, S. 325–333.

Dieses Gedicht besteht aus vier etwa gleich langen Abschnitten (dreimal sieben Strophen, der letzte Abschnitt sechs Strophen), in denen auf sehr indirekte Art die tragische Geschichte der Heldin Gertrud erzählt wird. Genau wie *Die Vergeltung* gehört dieser Text zu den »Schicksalsballaden« aus der Meersburger Zeit.

10 *Steige:* steil ansteigender Weg.
11 *Tobel:* Waldschlucht (s. V. 45; *Das öde Haus*, V. 1).
14 *Halde:* Abhang (s. V. 33)
21 *Ave Maria:* (lat.) Gegrüßet seist du, Maria! Beginn des beim Rosenkranz-Gebet 53 Mal gesprochenen Marien-Gebets.
25 f. Das Vaterunser wird beim Rosenkranz fünfmal gebetet.
28 *Brahme:* Ginster (s. *Das Hirtenfeuer*, V. 74).
31 *Hinde:* Hirschkuh (s. *Das Fräulein von Rodenschild*, V. 16; *Der Schlosself*, V. 50).
32 *Farren:* Farn.
44 *die Echo:* In der griechischen Mythologie eine Bergnymphe, die aus unerwiderter Liebe zum Felsen wird, sodass nur mehr ihre Stimme übrig bleibt.
64 Anspielung auf die Sprachverwirrung beim Turmbau zu Babel.
66 *Flühen:* Fluh: (schweiz.) Felswand, Berg.
86 *Schlossen:* Hagel.
87 *Fürtuch:* Schürze.
93 *Schlag:* Wagentür.
127 *kümmern:* pfänden.
161 *jach:* jäh, rasch (s. *Der Hünenstein*, V. 22).
170 *Büchsenspanner:* Bedienter, der dem Jäger nach dem Schuss neu lädt und spannt.
171 *schmälte: schmälen* meint in der Jägersprache den Laut des erschreckten Rehwildes.
172 *Aufschlags:* Triebe von Bäumen aus herabgefallenen Samen.
212 *Schmehle:* s. *Die Jagd*, Anm. zu V. 41 (S. 157).

97 Die Vergeltung

E: Herbst 1841.
D: *Gedichte*, 1844, S. 339–342.

Die Anregung zu diesem Gedicht geht auf zwei Epigramme zurück, die in der von Friedrich Jacobs herausgegebenen Anthologie griechischer Schriftsteller *Tempe* (2 Bde. Leipzig 1803, Bd. 2, S. 45–47) enthalten waren, die Droste kannte. Sie stammen von Palladas und Antipatros von Thessaloniki und greifen die Problematik des seit Cicero (u. a. *De re publica* 3,20) viel diskutierten Falles vom »Brett des Karniades« auf: zwei Schiffbrüchige, die nur ein Brett haben, um zu überleben, und die daraus entstehenden ethischen und juristischen Konsequenzen. Gleichzeitig fließen Elemente aus dem Bericht über den Untergang des holländischen Schiffes »Batavia« im Jahre 1630 ein. Teile der Schiffsbesatzung hatten zuvor gemeutert und wurden dafür nach der Rettung hingerichtet.

[Titel] In der Handschrift lautet der Titel zunächst: *Gottes Hand – Die Vergeltung*.

1 *Spiere:* Mastbaum.

14 *Pfühle:* Kissen, Lager.

16 *Batavia. Fünfhundertzehn:* Hier ist nicht der Schiffsname gemeint, sondern eine an Deck befindliche durchnummerierte Partie Holz mit der Herkunftsangabe. Batavia hieß bis 1950 die Hauptstadt der ehemaligen holländischen Kolonie Indonesien, heute Jakarta.

31 *Narwal:* Der Narwal besitzt einen bis zu 3 m langen hornartigen Stoßzahn.

82 *der Frei – der Hessel:* Stanus Frei und Damian Hessel waren an der Wende vom 18. zum 19. Jh. berüchtigte Räuber.

92–95 Diese Verse klingen an Schillers Ballade *Die Kraniche des Ibykus*, V. 37–40 an.

96 *Scherge:* Gerichtsdiener.

99–101 Die Verhöhnung des Gerichteten durch einen Leidensgenossen erinnert an die Kreuzigung Christi (Lk 23,39).

101 Der Schlosself

E: November/Dezember 1840.
J: *Frauen-Spiegel. Vierteljahrschrift für Frauen*, hrsg. von Louise Marezoll, Leipzig 1841, Bd. 2, S. 292–295.
D: *Gedichte*, 1844, S. 357–360.

Die Örtlichkeiten auf Schloss Hülshoff geben den Hintergrund für dieses Gedicht ab. Eine bestimmte Geburt, auf die sich die Geschichte bezieht, lässt sich nicht angeben.

9–16 Anspielung auf das Außenrelief am Turm von Burg Hülshoff, auf dem dessen Erbauer, Heinrich I. von Droste-Hülshoff (um 1540–1604), abgebildet ist.
10 *Pannerherr:* Eigentümer eines Lehens, der ein eigenes Banner führen darf.
11 *kurbettierend:* Begriff aus der Pferdedressur; soviel wie: Bogensprünge vollführend.
14 *sein Docke:* seine Dogge.
50 *Hinde:* s. *Das Fräulein von Rodenschild*, Anm. zu V. 16 (S. 175).
54 *Hagen:* s. *Der Weiher*, Anm. zu V. 44 (S. 159).
58 *Heck:* Gattertor.
70 *bläulich Feuer:* s. *Das Fräulein von Rodenschild*, Anm. zu V. 49 (S. 175).
86 *Polacken:* polnisches Pferd.

Gedichte in Einzelveröffentlichungen

Nach Erscheinen der Ausgabe von 1844 schrieb Droste eine Serie von Gedichten, die meist in Zusammenhang standen mit Vorhaben oder Wünschen von Levin Schücking. Er fungierte auch als Mittelsmann zwischen der Autorin und den Herausgebern, fertigte Abschriften an und vervollständigte die Texte in Fällen von Alternativvarianz (s. S. 148f.).

107 Spätes Erwachen

E: April/Mai 1844.
J: *Morgenblatt für gebildete Leser*, 16. August 1844, S. 785 f.

Das Gedicht hat Droste in der Handschrift ihrer Freundin Amalie Hassenpflug (1800–1871) gewidmet, die sie auf der Rückreise von Meersburg in Koblenz zu treffen hoffte. Der Erstdruck berücksichtigt diese Widmung nicht.

10 *beut:* bietet.
21–24 Vgl. das Motiv in dem Gedicht *Die Taxuswand*, V. 14–20 (S. 169).
29–32 Vgl. dazu das Gedicht *Am Turme* (S. 51 f.).
43 *Borden:* Bord: Ufer, hier: das Brechen der Welle am Ufer.
53–56 Vgl. das Motiv im Gedicht *Grüße*, V. 49–51 (S. 111).

109 Lebt wohl

E: Mai 1844.
J: *Morgenblatt für gebildete Leser*, 28. August 1844, S. 825 f.

Das Gedicht wurde für die gerade verheirateten Levin und Louise Schücking geschrieben und den beiden zum Ende ihres Besuches im Meersburger Schloss am 30. Mai 1844 überreicht. In der Handschrift lautete der Titel: *An L. und L.*

110 Grüße

E: Juni/September 1844.
J: *Kölnische Zeitung*, Nr. 319, 14. November 1844.

Das Gedicht ist kurz vor der Rückreise von Meersburg nach Rüschhaus konzipiert und spielt mit dem Gegensatz von Heimat und Fremde.

25 *Vaterhaus:* Burg Hülshoff.
41 *Dach:* Rüschhaus.
42 *treuste Seele:* Anspielung auf Drostes Amme Katharina Plettendorf, die seit 1834 im Rüschhaus lebte.
49–51 Vgl. dieses Motiv auch im Gedicht *Spätes Erwachen*, V. 53–56 (S. 108).

111 Im Grase

E: Juni/September 1844.
J: *Kölnische Zeitung*, Nr. 329, 24. November 1844.

1 Vgl. für dieses Motiv das Gedicht *Gemüt*, V. 17 f. (S. 118).
6 f. Vgl. das Motiv des Lachens auch in dem Gedicht *Durchwachte Nacht*, V. 63 f. (S. 115).
8 Die Verbindung zwischen Blüten und Grab findet sich auch in Drostes Novelle *Ledwina* im Zusammenhang mit dem Kirchhofs-Traum (HKA Bd. 5,1, S. 96 f.).

113 Durchwachte Nacht

E: Oktober 1844 / März 1845.
J: *Producte der Rothen Erde*, gesammelt von Mathilde Franziska, verehelicht gewesene v. Tabouillot geb. Giesler, Münster 1846, S. 522–525.

Für diesen Text hat Droste ein zu ihren Lebzeiten nicht gedrucktes Gedicht mit dem Titel *Doppeltgänger* verwertet und daraus die Verse 23–26 (dort 3–6), 63–65 (17–19), 71–73 (22–24) übernommen.

11 *Färse:* weibliches Rind zwischen Entwöhnung und Geburt des ersten Kalbes.
13 *Mohn:* hier als Metapher für Schlaf.
30 *Söller:* Balkon.
33 *Seiger:* Uhr (s. *Das Fräulein von Rodenschild*, V. 7).
38 *Syringen:* Flieder.
63 f. Für das Motiv des Lachens vgl. *Im Grase*, V. 6 f.
65 *Daguerre:* Louis-Jacques Daguerre (1787–1851) erfand 1837 eine Vorform der Photographie, die nach ihm benannte Daguerreotypie. Von Droste existieren drei Porträtaufnahmen in Daguerreotypie.
70 *ein schönes Kind:* Der Tod wird häufig als Kind allegorisiert, z.B. auch im Kirchhofs-Traum in *Ledwina* (HKA Bd. 5,1, S. 96 f.).

116 Mondesaufgang

E: Februar/März 1844.
J: *Rheinisches Taschenbuch auf das Jahr 1846*, hrsg. von C. Dräxler-Manfred, Frankfurt a. M. [1845], S. 231 f.

Zu diesem Gedicht existiert die für den Druck benutzte Reinschrift; auf sie bezieht sich die wiedergegebene Alternativvariante.

Das Gedicht steht in der Tradition berühmter Mondgedichte der deutschen Literatur seit dem 18. Jh. (Klopstock, Goethe). Die Szenerie entspricht dem Blick vom Meersburger Schlossbalkon über den See auf die Alpen.

5 *Dehnen:* Alternativvariante: »Stöhnen«.
11 *Phalänen:* Nachtfalter (s. auch V. 22 und *Die Jagd*, V. 32; *Der Heidemann*, V. 9).
33 *Silberflor:* Flor: zartes Gewebe, Schleier (s. *Das Haus in der Heide*, V. 38).
40 Vgl. das Motiv im Gedicht *Der Knabe im Moor*, V. 43.
47 Vgl. ein ähnliches Motiv im Gedicht *Gemüt*, V. 37–42.

117 Gemüt

E: Februar/März 1844.
J: *Charitinnen. Phantasiestücke und Humoresken, nebst einem lyrischen Album: im Sinne der Milde* hrsg. von Woldemar Nürnberger. (M. Solitair), Landsberg a. d. W. 1847, S. 214–216.

Zu diesem Gedicht existiert die für den Druck benutzte Reinschrift; auf sie beziehen sich die wiedergegebenen Alternativvarianten.

4–6 Alternativvarianten in V. 4 und 6: »Bis sie in Himmelblau erblüht, / [...] / Der Seele Iris du, Gemüth?«
6 *Iris:* Regenbogenhaut der Augen.
17 f. Vgl. dieses Motiv in *Im Grase*, V. 1.
33 *Chrysolithes:* Der Chrysolith ist ein grüner, durchsichtiger Schmuckstein.
37–42 Vgl. dieses Motiv im Gedicht *Mondesaufgang*, V. 47 f.
37 f. Alternativvarianten: »Und gar wenn losch der Sonnenbrand, / Und nun dein eigenstes Gewand,«.
40 *Ball:* Augapfel.
41 *Kristall:* Im Aberglauben kann man in Kristallkugeln die Zukunft sehen.

Gedichte aus dem Nachlass

Einzelgedichte

Zum Abdruck vorgesehene Gedichte

In einzelnen, relativ wenigen Fällen sind Gedichte, die Droste zum Abdruck vorgesehen hatte, dann nicht gedruckt worden. Die Gründe dafür waren vielfältig. Der Zyklus *Klänge aus dem Orient* etwa, der für die halbanonyme Gedichtausgabe von 1838 bestimmt war, fand vor den Augen des Herausgebers Christoph Bernhard Schlüter keine Gnade. Zwei Gedichte wurden von der Autorin selbst noch aus der Reinschrift für die *Gedichte* von 1844 ausgeschieden. Von Schückings Plänen, an denen Droste beteiligt war, kamen manche nicht zustande. Für einen Abdruck im *Morgenblatt* hatte Droste dem Freund im Sommer 1844 eine Reihe von Gedichten zukommen lassen. Lediglich vier davon erschienen im August 1844, der Rest blieb ungedruckt. Zu diesen für das *Morgenblatt* gedachten, aber dort nicht gedruckten Gedichten, von denen wir nur mehr die Arbeitsmanuskripte besitzen – die Reinschriften, die in Schückings Besitz gewesen sein müssen, sind verschollen –, zählten auch die hier folgenden Texte.

123 Der Dichter – Dichters Glück

E: April/Mai 1844.

Das Gedicht steckt insbesondere in seinem ersten Teil voller literarischer Anspielungen. Das dort entwickelte weltschmerzliche Bild vom Dichter war weit verbreitet; mögliche Anregungen Drostes vermutet die Forschung bei Ferdinand Freiligraths damals sehr bekannten Gedichten *Der Reiter* und *Bei Grabbes Tod*, die in seinen *Gedichten* von 1838 enthalten sind, oder bei Levin Schückings Gedicht *Ironien* von 1842, das verschiedene Positionen des Dichterberufs durchspielt. Im zweiten Teil kehrt Droste zu dem auch sonst für sie charakteristischen Dichtungsverständnis zurück.

2 *Scherben:* Blumentöpfe.

9 f. Anspielung auf den Prometheus-Mythos, dem zufolge Prometheus den Menschen das Feuer zurückbrachte und es dabei

vom Himmel holte; vgl. die Wiederaufnahme des Motivs in V. 33 f.; vgl. auch Goethes *Prometheus*-Gedicht.
14 *Geistescrösus:* Der lydische König Krösus verkörperte in der Antike unermesslichen Reichtum.
23 *Spalten:* im Sinne von: Lücken, Zwischenräumen.
37 *Hortes:* Anspielung auf den Hort (Schatz) der Nibelungen.
38 *fürstlicher Zecher:* Anspielung auf Goethes Gedicht *Der König in Thule*.
39 f. Anspielung auf Schillers Ballade *Der Taucher.*
41–48 Angeregt wird dieses Bild durch die Kratzdistel (Cirsium eriophorum) mit ihren langen Staubfäden, in deren Fruchtboden die Larve der Tryptea-Fliege sich entwickelt, die als Mittel in der Volksmedizin eingesetzt wurde.
41 *Lodenstrauß:* Schösslinge (s. *Der Hünenstein*, V. 30, *Das öde Haus*, V. 4).
42 *mystische Rose:* in religiösen Texten Bezeichnung für Maria, die Mutter Jesu.

125 Halt fest!

E: April/Mai 1844.

16 *Peccavi:* (lat.) Ich habe gesündigt.
18 *Ichor:* So bezeichnet Homer die Flüssigkeit, die statt Blut in den Adern der Götter fließt.
32 *Charibdys:* Charybdis: Meeresstrudel in der Straße von Messina, in der *Odyssee* erwähnt.
37 *Golem:* hebräische Bezeichnung für einen künstlichen Menschen aus Ton.

126 An einen Freund

E: Mai 1844.

Das Gedicht entstand – wie bereits das Gedicht *Lebt wohl* (s. S. 179) – während des Aufenthalts des Ehepaares Schücking auf der Meersburg. Das Verhältnis zwischen Droste und der jungen Ehefrau Louise Schücking war nicht ganz spannungsfrei. Der Text der wohl an Schücking weitergegebenen, heute verschollenen Reinschrift dieses Gedichtes ist aus dem einzig vollständig erhaltenen Arbeitsmanuskript nicht mehr zweifelsfrei zu rekonstruieren.

Droste schwankte im Entwurf zwischen einer Version in der 1. und einer in der 3. Person. Im Anschluss an die HKA (Bd. 2,1, S. 73 f.) geben wir hier die erste Arbeitsschicht des Entwurfsmanuskripts wieder, die in der Ich-Form gehalten war. Der durch Schücking veranstaltete Erstdruck des Gedichts hat die unpersönlichere Er-Form.

Die Verse 1, 20 und 49 des Gedichts beziehen sich direkt auf das Levin Schücking gewidmete Gedicht *An **** (S. 62 f.; siehe dort die Verse 1, 2, 22).

18 *Parze:* Die Parze Klotho galt in der griechischen Mythologie als Spinnerin des Lebensfadens.

50 *euch:* Hier werden Levin und Louise Schücking gemeinsam angesprochen.

53 f. Diese Ermahnung in Richtung Schücking ist schwer zu deuten. Möglich ist ein biographischer Bezug auf das getrübte Verhältnis Schückings zur Mutter Drostes.

Nicht zum Abdruck vorgesehene Gedichte

Droste verfasste von frühester Jugend an Gedichte. Ihre ersten Texte stammen aus dem Jahr 1804, aus einer Zeit, als sie gerade schreiben gelernt hatte. Das Versemachen gehörte genau wie das Musizieren und das Malen zur familiären Kultur nicht nur auf Hülshoff, sondern in den meisten Adelsfamilien. Gleichzeitig war durch die Familie allerdings auch der Kreis vorgegeben, auf den solche Tätigkeiten üblicherweise begrenzt blieben. Ein Überschreiten dieses Kreises, wie im Fall Drostes, musste zu Komplikationen führen. Auch in späteren Jahren bleibt in vielen Texten Drostes die Herkunft aus der Kultur der Familie erkennbar. Das gilt nicht nur für die Freundschafts- und Widmungsgedichte, die teilweise ja auch gedruckt wurden; es gilt für die gesamte Schreibhaltung einer Autorin, die sich schon der Umstände wegen nicht professionalisieren konnte und der die Familie Rückzugsort und Tarnung zugleich war.

129 [Wie sind meine Finger so grün]

E: Juni 1820; Ende der 1830er Jahre überarbeitet.

Das Gedicht ist verschiedentlich in Alben der Familie Haxthausen eingetragen worden. Dort wird es mit dem unglücklichen Ende der Beziehung Drostes zu dem Studenten Heinrich Straube im Sommer 1820 in Verbindung gebracht, das eine tiefe Lebenskrise der Dichterin auslöste. In mehreren Alben wird als Ausgangssituation für den Text geschildert, Droste habe im Gespräch mit Anna von Arnswaldt, in Bökendorf auf dem Hof unter der Akazie sitzend, einen Blumenstrauß zerrissen.

130 [Du, der ein Blatt von dieser schwachen Hand]

E: Anfang Mai 1845.

Am 26. April 1845 wandte sich der Fürstbischof von Breslau, Melchior von Diepenbrock (1798–1853), brieflich an Droste mit der Bitte, ihm für seinen Freund, den Grafen Heinrich Lamoral O'Donnell von Tyrconnell (1802–1872), ein Autograph zur Verfügung zu stellen. Im Mai schrieb die Dichterin daraufhin diesen deutlich auf den Anlass bezogenen Text sowie das Gedicht *Das Wort* (s. u.). Von beiden existieren kalligraphische Niederschriften, die auf den 9. Mai 1845 datiert sind. Möglicherweise lagen der Sendung an Diepenbrock beide Texte bei. Am 24. August bedankt Diepenbrock sich bei ihr und fügte seinem Schreiben ein Dankesschreiben des Grafen O'Donnell vom selben Tag hinzu.

130 Das Wort

E: Anfang Mai 1845.

Dieses Gedicht entstand im Zusammenhang der Bitte des Fürstbischofs von Breslau, Melchior von Diepenbrock (s. den Kommentar zum vorigen Gedicht). Der erste Entwurf ist auf der Rückseite des Entwurfes zum Antwortbrief Drostes an Diepenbrock notiert. Der geistliche Adressat hat die Haltung des Textes ganz offensichtlich mitgeprägt. Später entstanden verschiedene Abschriften des Gedichts, wobei neben die umfangreiche Version von Anfang Mai eine um die Gebetsstrophe (V. 21–24) verkürzte Version trat.

1 *beschwingten:* gefiederten.
5 *Körnlein:* vgl. das Gleichnis vom Sämann aus dem Neuen Testament, Lk 8,8.
14 *Hage:* s. *Der Weiher*, Anm. zu V. 44 (S. 159).

Aus dem Zyklus
Das geistliche Jahr in Liedern auf alle Sonn- und Festtage

Die Entstehung des *Geistlichen Jahres* zerfällt in zwei weit auseinanderliegende Phasen. Der erste Teil der Gedichte von Neujahr bis Ostermontag entstand im Verlauf des Jahres 1820. Am 9. Oktober überreichte Droste die Reinschrift dieser Gedichte samt einer Vorrede ihrer Mutter: »Mama las dieselbe [die Vorrede] sehr aufmerksam und bewegt durch, legte dann das Buch in ihren Schrank, ohne es weiter anzurühren, wo ich es acht Tage liegen ließ und dann wieder fortnahm« (an Anna von Haxthausen, März 1821). Der Ausgangspunkt der Beschäftigung mit der geistlichen Poesie war die Absicht, für die fromme Großmutter einige Lieder zu schreiben. Schon bald merkte die Autorin, dass sie zu solcher Frömmigkeit, wie sie für die Großmutter angemessen gewesen wäre, nicht fähig war. Dabei könnten Gespräche mit dem Studenten Heinrich Straube eine Rolle gespielt haben, der selbst als literarisches Talent galt und sehr an Fragen der Religion interessiert war. Droste traf mit ihm im März 1820 zusammen und fasste eine Zuneigung zu ihm. Auf die Weiterarbeit und den Abschluss des ersten Teils des *Geistlichen Jahres* hat dann der brutale Bruch ihrer Freundschaft mit Straube im Sommer 1820 und die dadurch ausgelöste Lebenskrise sich ausgewirkt. Voller Resignation schreibt Droste in dem oben bereits zitierten Brief über die Gedichte des ersten Teils: »Der Zustand meines ganzen Gemüthes, mein zerrissenes schuldbeladenes Bewußtsein liegt offen darin dargelegt [...].« Andererseits bewegen sich gerade die Texte dieses Teils in Sprache und Bildlichkeit sehr weitgehend in dem durch die Tradition der geistlichen Literatur gesetzten Rahmen. Gerade im Biedermeier war auch die Gattung der Geistlichen Jahreszyklen noch sehr präsent, wie die entsprechenden Werke von Clemens Brentano und Ida Gräfin Hahn-Hahn zeigen.

1834 übergab Droste die Reinschrift des ersten Teils ihrem geistlich-literarischen Mentor Christoph Bernhard Schlüter, der daraus acht Gedichte für den Abdruck in der Ausgabe von 1838 auswählte. Schlüter war es auch, der die Autorin in der Folge immer wieder auf die geistliche Poesie hingewiesen hat. Im Juli 1839 machte sie sich schließlich daran, den zweiten Teil des geistlichen Jahreszyklus zu vollenden, und schloss ihn im Januar 1840 ab. Dieser Teil blieb dabei allerdings im Stadium der Arbeitshandschriften stecken; die Autorin fertigte keine Reinschriften der Texte mehr an, was die Herausgeber seit je vor sehr große Probleme gestellt hat. Die Ausgaben können in ihrem Textteil nur einen zeitlich annähernd genau fixierten Textzustand dokumentieren; die Lesarten geben zumindest eine Vorstellung davon, in welche Richtung der Text sich auch noch hätte entwickeln können. Unser Text stützt sich für diesen Teil auf die von Winfried Woesler 1971 zuerst erarbeitete Textfassung, die prinzipiell die älteste nicht verworfene Textstufe anzubieten sucht.

Die Unabgeschlossenheit der Texte des zweiten Teils hat dabei Ursachen, die mit der Entwicklung der Autorin in den 1830er Jahren eng zusammenhängen. Mit der Arbeit an den Versepen und durch die Freundschaft zu Levin Schücking hatte sich ihr literarisches Selbstverständnis verändert. Immer stärker wurde ihr deutlich, wie wenig sie mit ihrer Art religiöser Lyrik Erwartungen zu entsprechen vermochte, die etwa von Schlüter oder ihrer Familie an sie herangetragen wurden. Statt klarer Bekenntnisse und unangefochtener Frömmigkeit bieten die Gedichte das Bild eines vielfach gebrochenen und gefährdeten religiösen Bewusstseins in einer sich rasant verändernden Welt.

Das Geistliche Jahr war zugleich ein Erprobungsfeld jenes formalen Prinzips, das dann auch für das weitere lyrische Schaffen der vierziger Jahre maßgeblich wurde, des Prinzips der Variation. Zwar zweifelt Droste brieflich noch daran, ob es ihr gelingen werde, »einige Mannigfaltigkeit hineinzubringen« (an Schlüter, 22. August 1839), doch gab sie sich die größte Mühe, Strophenformen, Versmaße und Reimschemata ständig zu variieren, und sie schafft es am Ende doch einigermaßen, sich gegen die überwältigende Kraft der Tradition des geistlichen Sprechens durchzusetzen.

Mit dem Begriff »Geistliches Jahr« ist das Kirchenjahr gemeint, das traditionell am ersten Adventssonntag beginnt. Der Zyklus folgt in seinem Ablauf allerdings dem bürgerlichen Jahr. Den

Sonn- und Feiertagen des Kirchenjahres waren damals bestimmte festgelegte Evangelientexte zugeordnet, auf die die Gedichte Drostes sich beziehen. Sie stützt sich dabei auf das in Münster und Paderborn zu dieser Zeit gebräuchliche Münsterer Perikopenbuch und nicht auf die bis zum Zweiten Vatikanischen Konzil (1963) allgemein verbreitete römische Perikopenordnung. Dem ersten Teil liegt das Kalendarium von 1820, dem zweiten das von 1839 zugrunde.

132 Am ersten Sonntage nach h. drei Könige

E: Januar/Oktober 1820.

Das Sonntagsevangelium, auf das sich dieses Gedicht bezieht, ist Lk 2,42–52.
Lk 2,48 schildert, wie die Eltern den jungen Jesus vermissen und voller Angst nach ihm suchen. Dieses Stichwort nimmt der Eingangsvers des Gedichts auf, das im Folgenden vor allem das Motiv des Suchens weiter verfolgt.

11 *Tabor:* Berg der Verklärung Jesu (Mt 17,1–9).
12 Petrus wollte auf dem Berg Tabor drei Hütten bauen (Mt 17,4).
19–24 Hier wird eine gläubige Betrachtung der Natur als göttliche Schöpfung, wie Droste sie aus der eigenen Familientradition oder auch aus der religiösen Literatur, z. B. von Friedrich Spee von Langenfeld (1591–1635) und anderen Kirchenlieddichtern, kannte, der durch die Vernunft angeleiteten Naturbetrachtung der Moderne gegenübergestellt.

134 Am fünften Sonntage in der Fasten

E: Januar/Oktober 1820.

Das Sonntagsevangelium, auf das sich dieses Gedicht bezieht, ist Joh 8,52 f. Die Eingangsverse des Gedichts spielen direkt auf das Tagesevangelium an: Dort betonen die Juden mehrfach, dass Abraham und die Propheten gestorben seien, wobei sie Jesus bewusst missverstehen. V. 11 f. greift den Satz aus dem Tagesevangelium auf: »Wenn jemand an meinem Wort festhält, wird er auf ewig den Tod nicht erleiden.«

49–56 In diesen häufig als dichterisches Testament interpretierten Versen mischt sich ein in der deutschen und ganz besonders auch in der geistlichen Dichtung verbreiteter Bescheidenheitstopos mit Elementen des dichterischen Selbstverständnisses Drostes. Auch im Briefwechsel hat sie verschiedentlich geäußert, sie wolle »*jetzt* nicht berühmt werden, aber nach hundert Jahren möchte ich gelesen werden« (an Elise Rüdiger, 24. Juli 1843).

136 Am dritten Sonntage nach Ostern

E: Juli 1839 / Januar 1840.

Das Sonntagsevangelium, auf das sich dieses Gedicht bezieht, ist Joh 16,16–22.
Das Zitat über dem Text ist der Eingangsvers 16,16, an den V. 1 des Gedichts direkt anschließt. Das Motiv des »Sehens« wird in der Folge ausgearbeitet, wobei der Schlussvers (V. 63) noch einmal das Evangelium (Joh 16,22) zitiert.

6 *Wüstenlicht:* Als Feuer- bzw. Wolkensäule führte Gott die Israeliten ins Gelobte Land (Ex 13,21 f.).

7 *Aaronsstab:* Moses legte auf den Befehl Gottes hin die Stäbe der zwölf israelitischen Stammesführer vor die Bundeslade. Am nächsten Morgen hatte der Stab Aarons ausgeschlagen, blühte und trug Früchte (4. Mose 17,16–26).

46–57 Gott offenbarte sich dem Propheten Elias nicht in Sturm, Erdbeben oder Blitz, sondern im sanften Windhauch (1. Kön 19,11 f.).

53 Der einzige reimlose Vers (Waise) im gesamten *Geistlichen Jahr.*

138 Am Pfingstmontage

E: Juli 1839 / Januar 1840.

Das Sonntagsevangelium, auf das sich dieses Gedicht bezieht, ist Joh 3,16–21; die zitierte Stelle bezieht sich auf 3,16.18.

31 *Taufe der Begierde:* Nach Auffassung der katholischen Theologie kann im Notfall schon der Glaube an Christus und das darin zum Ausdruck kommende Verlangen nach der Taufe dem Vollzug des Taufsakramentes gleichkommen.

140 Am sechsundzwanzigsten Sonntage nach Pfingsten

E: Juli 1839 / Januar 1840.

Das Sonntagsevangelium, auf das sich dieses Gedicht bezieht, ist Mt 24,15–35; die zitierte Stelle beruht auf 24,15a.22b.

1 *Gräuel der Verwüstung:* Im Buch Daniel 9,27, 11,31 und 12,11 wird so die Abschaffung des religiösen Kultus durch den Feind bezeichnet.
4 *Feuerstoff:* Kohle.
7 *galvan'scher Kette:* Quelle für chemisch hergestellten Strom.
62 *Moksa:* Brennzylinder, in der Medizin zur Reizung der Haut eingesetzt.

142 Am letzten Tage des Jahres (Silvester)

E: Juli 1839 / Januar 1840.

Der Hinweis auf ein Evangelium fehlt, weil Silvester kein Festtag innerhalb des Kirchenjahres ist. Ausgangspunkt des Gedichts ist das Verständnis des Jahreswechsels als Stunde der Besinnung. Droste hat drei weitere Silvester-Gedichte geschrieben: *Neujahrsnacht*; *Silvesterabend*; *Silvesterfei.*

2 *Faden:* der antike Lebensfaden.
51 Das Neujahrsläuten war damals bereits eine verbreitete Sitte.

Nachwort

Die Lyrik Annette von Droste-Hülshoffs ist geprägt vom Zusammenbruch einer Welt, um deren endgültigen Verlust die Autorin weiß, deren Bilder sie aber zugleich gegen dieses Wissen festzuhalten sucht. Soweit diese untergehende Welt überhaupt historische Züge annimmt, lässt sie sich als die Epoche vor der Aufklärung und der Französischen Revolution identifizieren, eine Zeit fest gefügter und unverrückbarer religiös-moralischer wie politischer Ordnungen. Die restaurative Politik der Metternich-Ära der Jahre 1815 bis 1848 zielte genau auf die Wiederherstellung und Befestigung solcher Ordnungen ab, und als Mitglied des Adels hat Droste, soweit sich das erkennen lässt, die politischen Ziele der Restauration auch mitgetragen. Sie hat sich dabei allerdings eher zurückhaltend geäußert, vor allem wenn man zum Vergleich Schriften z. B. ihres Onkels August von Haxthausen heranzieht, der immer noch die doch längst abgelebte Struktur des Feudalstaates in den Rang eines Naturgesetzes erheben wollte. Doch bleibt ihr schmales Werk gleichwohl zu einem durchaus erheblichen Teil von einem restaurativen Denken geprägt. Nicht nur in den zehn Gedichten des Zyklus der »Zeitbilder«, mit denen sie ihren Gedichtband von 1844 eröffnet, engagiert sich Droste offen für die Rückkehr zu den traditionellen Werten insbesondere in Religion und Moral; auch in einer Vielzahl anderer Texte macht sie sich zur Fürsprecherin von Bescheidung und Unterwerfung unter die Herrschaftsansprüche der Restaurationsgesellschaft. Dabei sind die »Zeitbilder« ein anschauliches Beispiel dafür, wie solche offen reaktionären Absichten von den modernen sprachlichen Standards, die Droste für sich entwickelt hat, durchkreuzt werden und die Texte beginnen, sich mehr oder weniger selbst zu widersprechen. Denn die differenzierte und schwierige Form mit ihren häufigen elliptischen

Konstruktionen und der sperrigen Lexik, um nur zwei wichtige Elemente zu nennen, läuft der auf Eingängigkeit und Verständlichkeit angelegten Rhetorik politischer Dichtung völlig zuwider, die Texte verlieren auf diese Weise ihre Stoßkraft oder werden im schlimmsten Fall ganz unverständlich. Auch die Eigensinnigkeit, mit der die Dichterin sich wehrt, wenn der Redaktor Levin Schücking dem »Krähenpelz« ihrer Sprache einige »Pfauenfedern« einflechten möchte, steht in deutlichem Widerspruch zu den politisch-moralischen Wirkungsabsichten.

Jenseits solcher bloß noch historisch interessanter Gedichte, die in diesem Band bis auf wenige Beispiele ausgespart wurden, dort, wo der wirklich spannende Teil der Droste-Lyrik beginnt, geht es nicht mehr um die Rettung der gesellschaftlichen Oberfläche, schon gar nicht um Propaganda und die Kunst als Mittel der geistig-moralischen Restauration. Es geht vielmehr um den Prozess der Transformation selbst, um das Zwischenreich zwischen Zusammenbruch und Neubeginn, Gestern und Heute, Träumen und Wachen, Gefühl und Wissen. Als Bewohnerin dieses Zwischenreiches hat Droste sich selbst immer wieder zu erkennen gegeben: »So sitz ich Stunden wie gebannt, / Im Gestern halb, und halb im Heute«, heißt es in dem Gedicht *Die Bank*. Diese Existenzform im Zwischen von sehnsüchtiger Erinnerung und detailgenau abgebildeter Erfahrung, von Natur und Geschichte wird ihr zur Grundlage der Poesie. Beides kritisiert und hinterfragt sich wechselseitig, erzeugt eine Stimmung des Schwankens, der Uneindeutigkeit, eine Stimmung, die für Droste die Grundbedingung nicht nur ihrer, sondern insgesamt der modernen deutschen Literatur ist. Ausdrücklich heißt es in diesem Sinne in einem Brief vom 4. September 1843, der deutsche Gegenwartsautor – und sie meint damit zunächst sich selbst – lege »gewöhnlich etwas von ihm nur halb Bezweifeltes zum Grunde, etwas, das ihn beim Erzählen mit einem Schauer überrieselt hat, und dieser

Schauer – dieses Schwanken – zwischen geistigem Einfluß? unerklärter Naturkraft? unabsichtlicher Täuschung? – läßt er auch über seine Leser herrieseln.« Herausragendes Beispiel für diese Poesie der Übergänge und der Undeutlichkeit im Werk Drostes ist ihre viel gelesene Novelle *Die Judenbuche*. Zur Bezeichnung dieses Phänomens im lyrischen Werk hat Clemens Heselhaus den Begriff des »halluzinativen Realismus« vorgeschlagen, der zwar in eine ähnliche Richtung zielt, allerdings vor allem aus zwei Gründen weniger geeignet scheint: Zum einen verschiebt er das Problem von der poetologischen auf eine individuell-psychologische Ebene. Die Versenkung des lyrischen Ich in sich selbst, in die Natur oder in die Geschichte ist aber keineswegs die subjektive psychische Anstrengung der Dichterin Droste-Hülshoff; es handelt sich vielmehr um eine stilistische Figur, mit der genau jener Schwebezustand evoziert werden soll, von dem oben die Rede war. Zum anderen rückt das »halluzinative« Schreiben die stilistische und sprachliche Besonderheit des Drosteschen Schreibansatzes auf eine Ebene jenseits des Bewusstseins, so als ob diese Autorin nur dann zu angemessenen Texten gelangt sei, wenn sie die Ratio ausgeschaltet habe. Heselhaus verlängert damit – sicher ungewollt – jene Vorurteile, die sich im Laufe der Rezeptionsgeschichte aufgebaut haben und das Bild einer abseits der kulturellen Entwicklung ihrer Zeit ganz aus sich und der »westfälischen Heimat« heraus schaffenden Frau entwarfen, wobei gerade die Geschlechtertypologie eine große Rolle spielte. Die neuere Forschung hat gezeigt, dass es sich bei diesem Bild um eine Karikatur handelt. Genau wie ihre männlichen Kollegen war Droste eine aufmerksame Beobachterin des Literaturbetriebes, las viel und genau, kannte die Entwicklung nicht nur der deutschen, sondern ebenso der französischen und englischen Literatur und verarbeitete dieses Wissen in ihrem eigenen Schreiben. Wohl versteckte sie sich hinter jener gesellschaftlich und vor allem von der eigenen Familie eingeforderten Rolle der bloß dilettierenden Gelegenheitsschriftstellerin, die sich in der Welt der Literatur nicht wirklich auskennen durfte. Das war aber nur Tarnung, und es gibt immer wieder Anlässe, wo ihr durchaus ausgeprägtes Selbstbewusstsein als Autorin durchbricht, etwa wenn sie über einen unautorisierten Texteingriff »zürnig« wird, »grimmig wie eine wilde Katze« (an Schücking, 26. Mai 1842), oder bei ihren teilweise harschen, aber durchaus klarsichtigen Urteilen über Berufsgenossen wie Ferdinand Freiligrath und Adalbert Stifter.

Indem sie ihre Lyrik auf jenes Moment des Übergangs aufbaut, gelingt es Droste, die grundlegende Erfahrung vom Verschwinden einer sinnhaften, mit sich selbst in Einklang befindlichen Welt ins Bild zu setzen, die gleichzeitig aber als sehnsüchtige Erinnerung fortexistiert. »Es ist gewiss, die alte Welt ist hin«, heißt es programmatisch in dem Gedicht *Die Mergelgrube*, aber dann treten die Stein gewordenen Zeugnisse dieser »alten Welt« dem lyrischen Ich als wahrhaft ›untergründige‹ Erinnerung wieder gegenüber. Das Ich zweifelt einen Moment lang daran, ob es nicht doch Teil der »alten Welt« ist, um am Ende in seinen bürgerlich-aufgeklärten Alltag zurückzukehren, der freilich durch die naiv-abergläubische Figur des Hirten gebrochen ist. Bereits in diesem Text wird deutlich, dass die Versöhnung der modernen mit jener »alten« Welt, die Einlösung des in der Erinnerung enthaltenen Glücksversprechens, nur um den Preis des Todes möglich ist: als Versteinerung oder als Mumie fühlt sich das Ich jener »alten Welt« zugehörig. Die hier vollzogene Bewegung lässt sich ähnlich in vielen Droste-Gedichten wiederfinden: Die Suche nach den Spuren von Sinn in der Natur wie in der Geschichte führt in jenes Reich der Dämmerung zwischen Leben und Tod, Wachen und Traum, das das Zentrum der Drosteschen Welt bildet. Im Gedicht *Im Moose* heißt es:

> Als jüngst die Nacht dem sonnenmüden Land
> Der Dämmrung leise Boten hat gesandt,
> Da lag ich einsam noch in Waldes Moose.
> Die dunklen Zweige nickten so vertraut,
> An meiner Wange flüsterte das Kraut,
> Unsichtbar duftete die Heiderose.
>
> [...]
>
> Ringsum so still, dass ich vernahm im Laub
> Der Raupe Nagen, und wie grüner Staub
> Mich leise wirbelnd Blätterflöckchen trafen.
> Ich lag und dachte, ach so manchem nach,
> Ich hörte meines eignen Herzens Schlag,
> Fast war es mir als sei ich schon entschlafen.

Wie die Landschaft, die hier mit wenigen sicheren Strichen entworfen wird, ist auch der Betrachter in eine Art »Scheintod« (V. 44) verfallen, und sieht sich als Teil der Natur in dieser verschwinden:

> Und noch zuletzt sah ich, gleich einem Rauch,
> Mich leise in der Erde Poren ziehen.

Die »Dämmrung« als Tageszeit einer diffusen, ungewissen Beleuchtung kehrt in den Gedichten ständig wieder, nicht nur in »Heidebildern« wie *Der Hünenstein* oder *Die Steppe*. In *Das öde Haus* zeigt sich eine Landschaft, die, wie das von seinen Bewohnern verlassene Haus, nicht mehr aus der Erstarrung erwacht, in der es gleichsam permanent dämmert:

> 's ist eine Wildnis, wo der Tag
> Nur halb die schweren Wimper lichtet
>
> [...]
>
> Wenn sich die Abendröte drängt
> An sickernden Geschiefers Lauge,
> Dann ist's als ob ein trübes Auge,
> Ein rotgeweintes drüber hängt.

Besonders für das Gedicht *Durchwachte Nacht* ist jenes durch die diffuse Beleuchtung im Zusammenspiel mit der wachtraumartigen Stimmung des Ich ausgelöste »Schwanken« der Wahrnehmung charakteristisch:

> O wunderliches Schlummerwachen, bist
> Der zartren Nerve Fluch du oder Segen? –
> 's ist eine Nacht vom Taue wachgeküsst,
> Das Dunkel fühl ich kühl wie feinen Regen
> An meine Wange gleiten, das Gerüst
> Des Vorhangs scheint sich schaukelnd zu bewegen

In diesem Text findet sich dann auch die Verbindung zwischen den Naturgedichten und den Balladen, zumal den Schauerballaden Drostes, deren Stimmung auf genau derselben Mischung beruht und über die noch zu sprechen sein wird. Aber nicht nur diese ganz offenkundigen Fälle weisen den Weg in das Drostesche Zwischenreich: Selbst die vom blauen Himmel und der strahlenden Sonne durchfluteten Eingangszeilen des Gedichts *Im Grase* führen doch bereits in der zweiten Strophe hinter »die geschlossne Wimper« des Todes und verbinden so das Versinken in der »trunknen Flut« der lebendigen Natur mit dem Versinken in der lebendigen Erinnerung.

Dieses berühmte Droste-Gedicht kreist um die Möglichkeit einer Vermittlung von Erleben und Erinnern, einer Überwindung der Grenze zwischen neuer und alter Welt, zwischen Tod und Leben. Im flüchtigen Aufscheinen des Schönen deutet sich in *Im Grase* eine solche Möglichkeit an, die real aber nur um den Preis der Selbstauslöschung zu erreichen ist: Nur der Tod führt zur vollständigen Verschmelzung des Subjekts mit der Natur, nur er vermöchte jenes »Paradiesestor« zu öffnen, von dem es im Gedicht *Die Taxuswand* heißt: »Dahinter alles Blume, / Und alles Dorn davor.«

Im Zentrum der Gruppe der »Heidebilder«, die zweifellos den Kern ihrer Naturlyrik bildet und deshalb vollständig in diese Ausgabe aufgenommen wurde, steht, sieht man von Ausnahmen wie dem nazarenisch-kitschigen *Das Haus in der Heide* ab, vor allem die Erfahrung der Vertreibung aus dem Paradies der Natur. Dabei folgt der Bezug auf die heimatliche und ihr bis in die kleinsten Details vertraute Landschaft des Münsterlandes einerseits einem Zug der Zeit, dem man ähnlich bei Zeitgenossen Drostes wie Eduard Mörike oder Adalbert Stifter begegnet. Den idealistischen Entwürfen ebenso wie den romantischen Fluchten setzten diese Autoren programmatisch den Rückzug auf das Bekannte und Nächstliegende, auf »Heimat« entgegen. Umso erschreckender die Unmöglichkeit, selbst hier, im vertrautesten Bezirk, der Einsicht in die Endgültigkeit des Verlustes zu entgehen. Im Gegensatz zur reaktionären Zeitlyrik tun die »Heidebilder« eben nicht so, als sei »Heimat« ein historisch fixierbarer Zustand. Das beginnt bereits bei dem so fröhlich und prunkvoll daherkommenden Eingangsgedicht *Die Lerche*: Die ganze breit ausgemalte Allegorese bricht unter der Wucht der beiden Abschlusszeilen zusammen. Verschiedentlich werden die voller Liebe zum Detail aufgebauten idyllischen Naturbilder in diesen Gedichten von solchen Punkten aus zum Einsturz gebracht: So wenn das »Angstgeschrill der Fliege« im Spinnennetz gleich zu Beginn von *Die Jagd* jenen Lebenskampf akzentuiert, der hinter der anmutigen und detailverliebten Schilderung von Fuchs, Meute und Jäger fast verschwindet; wenn in *Der Weiher* am Ende der Wassermann die spielenden Kinder verscheucht; oder wenn im *Hirtenfeuer* die nächtliche Idylle der singenden Hirtenknaben überschattet bleibt vom bedrohlichen Bild der nächtlichen Natur des Beginns. Auch das langsame Versinken der bis in die kleinsten Details beschriebenen Heidelandschaft im gestaltlosen und undurchdringlichen Chaos des Nebels in *Der Heidemann* verweist auf die Anwesenheit des Bösen in dieser scheinbar so vertrauten Welt. Besonders anschaulich ist dieser bedrohlich-fremde, so gar nicht »heimatliche« Charakter der Natur in dem bekanntesten Droste-Gedicht überhaupt, in *Der Knabe im Moor.* Die vertraute »heimatliche« Umgebung verwandelt sich in ein Horrorszenario aus Geräuschen, Formen und Figuren. Die berstende Kruste, die sich über jene Welt spannt, durch die der Knabe rennt, vermag den Menschen kaum noch zu tragen. Das erinnert an Georg Büchners *Danton* und den Ausruf des Zweiten Herrn (II,2): »Ja, die Erde ist eine dünne Kruste [...]. Man muß mit Vorsicht auftreten, man könnte durchbrechen« (auch ein Hinweis zum Thema Zeitgenossenschaft). Die Bilder veranschaulichen den Zustand äußerster Bedrohung, des Zerfallens der Welt weit eindringlicher als alle Beschwörungen und Ermahnungen in den appellativen Gedichten. Auch die Geister, die dem Knaben erscheinen, sind nicht nur Gestalten des Volksaberglaubens, die der Verdichtung der bedrohlichen Atmosphäre dienen, sie sind zugleich Vertreter einer Welt des Verworfenen, des Proletarisch-Plebejischen, die ihren Platz haben auf der politisch-gesellschaftlichen Bedeutungsebene des Gedichts. Das Unbürgerlich-Ungeordnete, das Chaotische ist das beherrschende Element dieser Naturgedichte, die Stimmen der Wiedergänger stehen in ihnen gegen die Schrift der »Fibel«, ein voraufklärerisches, quasi natürliches Weltbild gegen ein aufgeklärt-vernünftiges. Die Angst vor elementaren Veränderungen, vor dem Einsinken und Verschwinden, oder, umgekehrt, die Sehnsucht nach Heimat, steht gegen rationale Erklärungen bzw. die Behauptung, Heimat existiere noch oder bereits.

Die Botschaft der »Heidebilder« wie der gesamten Naturlyrik ist: Die »Natur« hat ihren göttlichen, ihren Schöpfungsstatus verloren. Damit setzt Droste sich nicht nur scharf ab von den spätromantischen Naturlyrikern und deren »erlogenen Grünlichkeiten«, wie ihr Jahrgangsgenosse Heinrich Heine die naiv-naturfrommen Gedichte z. B. der Schwäbischen Dichterschule in seinem Reisebild *Die Bäder von Lucca* spöttisch genannt hat. Die Unmöglichkeit, das »Buch Gottes« noch zu entziffern, erschüttert zugleich das religiöse Fundament einer Welt, die in der Tat auseinandergefallen ist. Wie tief diese religiöse Krise reicht, wie grundlegend sie für das Welt- und Menschenbild Drostes war, verdeutlichen die Gedichte des Zyklus *Das geistliche Jahr in Liedern auf alle Sonn-und Festtage*, die allesamt um dieses Thema kreisen und dadurch in einer engen und unübersehbaren Verbindung auch mit der weltlichen Lyrik stehen. Der religiöse Kern des Begriffes »Natur« wird in diesen Texten ausdrücklich benannt; doch genau wie die Natur und mit ihr entzieht sich auch Gott der unmittelbaren Erfahrung des modernen aufgeklärten Menschen. Im Laufe der Arbeit am ersten Teil des *Geistlichen Jahres*, der im Blick auf ihre fromme Großmutter entstand, erkennt Droste, dass deren selbstverständliche Glaubenssicherheit angesichts des Zustandes der Welt nach der Aufklärung für sie keine realistische Alternative mehr darstellt. Das Buch sei für die Adressatin »völlig unbrauchbar, so wie für alle sehr fromme Menschen, denn ich habe ihm die Spuren eines vielfach gepreßten und geteilten Gemütes mitgeben müssen, und ein kindlich in Einfalt Frommes würde es nicht einmal verstehn«, heißt es im Widmungsbrief an die Mutter vom 9. Oktober 1820 zur Reinschrift des ersten Zyklusteils. Typisch für die Gegenwart ist vielmehr die tiefgreifende Verunsicherung der religiösen Vorstellungswelt. Droste stellt in den Gedichten immer wieder resigniert die Unumkehrbarkeit dieses Prozesses der Entfremdung von Gott und den Verlust der verbindlichen Gültigkeit einer religiösen Weltdeutung fest. Bereits in dem Gedicht *Am ersten Sonntage nach h. drei Könige* aus dem ersten Teil des Zyklus formuliert sie dazu ganz dezidiert: »Ich habe dich in der Natur gesucht, / Und weltlich Wissen war die eitle Frucht!« Der aufgeklärte Mensch, der sich seines Verstandes bedient, bezahlt dafür den Preis, in einer gottverlassenen, sinnleeren Welt anzukommen:

Hab ich grausend es empfunden,
Wie in der Natur
[...]
Oft dein Ebenbild verschwunden
Auf die letzte Spur:
Hab ich keinen Geist gefunden,
Einen Körper nur!

heißt es in *Am fünften Sonntage in der Fasten.* Und ausdrücklich auf die Vernunftproblematik bezogen schreibt Droste in *Am fünfundzwanzigsten Sonntage nach Pfingsten*: »Verstandes Fluch, der trotzig ragt / Und scharf an meinem Glauben nagt«. Die Aufklärung, das Heraustreten des Menschen aus der selbstverschuldeten Unmündigkeit, löst den Verstand aus der Unterordnung unter den Glauben, der Mensch ist von nun an dazu verdammt, seinen Verstand zu benutzen, ein Fluch, von dem er sich nicht mehr befreien kann. Vorstellbar ist eine Rückkehr in die Sicherheit des Glaubens deshalb nur als göttliches Gnadengeschenk, nicht als bewusste Entscheidung des Menschen. In *Am sechsundzwanzigsten Sonntage nach Pfingsten* wie in vielen anderen Gedichten wird die erlösende Wirkung der Gnade in eindringlichen Bildern beschworen, die meist entlang den textlichen Vorgaben aus den Evangelien entwickelt werden. Zur Charakterisierung der entgöttlichten Welt benutzt Droste häufig ähnliche Metaphern wie in der Naturlyrik, z. B. das Bild der Versteinerung oder das des Moores und Sumpfes. Gerade dieser enge Bezug zu ihrer nicht-geistlichen Dichtung zeigt, dass die Gedichte des *Geistlichen Jahres* keineswegs bloßer Ausdruck einer persönlichen Glaubenskrise der Dichterin Annette von Droste-Hülshoff sind, sondern Ausdruck ihrer Sicht auf den Zustand der Welt, den sie insgesamt als krisenhaft bewertet.

Diese Sicht prägt auch die dritte Säule ihres lyrischen Werkes neben Naturlyrik und geistlicher Dichtung, die

Balladen. Auch hier geht Droste die aufgeklärten, gradlinigen Welt- und Geschichtsentwürfe ihrer Zeitgenossen äußerst kritisch an, deckt ihre Bruchstellen auf und zieht das nur mühsam hinter der dünnen Oberfläche verborgene Chaos ans Licht, ähnlich wie im *Knaben im Moor*, einem Text mit vielen balladesken Zügen. Dem im Gefolge von Kant und Hegel aufgekommenen optimistischen Begriff von der Geschichte als der Entfaltung des aufgeklärten Bewusstseins in Richtung auf ein freies bürgerliches Gemeinwesen setzt sie eine Vorstellung von Geschichte und Gesellschaft entgegen, die geprägt ist von Einbrüchen des Unterdrückten, Untergründigen, des nicht Aufgeklärten, auch des Unbürgerlichen. Gerade in den Balladen gelangt jenes eingangs erläuterte Prinzip Drostes, die Dinge in ein diffuses Licht zu tauchen, zum Schwanken zu bringen, jene Stimmung aus »geistigem Einfluß? unerklärter Naturkraft? unabsichtlicher Täuschung?« zu erzeugen und »über den Leser herrieseln« zu lassen (s. o.), zu seiner sichtbarsten Ausprägung. Dementsprechend überwiegen bei ihr die Schauerballaden. Ein Text wie *Der Graue* verdeutlicht den gegen die eindimensionale Wirklichkeitssicht gerichteten Impuls, wobei in diesem Gedicht zusätzlich noch die Sphäre des aufgeklärten Bürgertums mit den Kräften der aristokratisch geprägten Tradition zusammenprallen. Die Pläne des Brüsseler Kaufmanns, der sich ein kleines Waldschloss gekauft hat, um dort von seiner Büroarbeit auszuruhen, werden durch das Auftauchen eines »steinernen Gastes« aus vergangenen Tagen auf drastische Weise durchkreuzt. Nach den Ereignissen der Nacht wagt er sein Refugium nicht mehr zu benutzen, baut stattdessen, damit der Ort doch zu etwas nütze ist, in den Hof eine maschinell betriebene Papiermühle. Wie ein Denkmal an eine durch die Verbürgerlichung und den in dessen Gefolge zum Prinzip erhobenen Nutzen gewaltsam verdrängte Zeit ragt das trotz aller Aufgeklärtheit von den Menschen gemiedene Schloss aus der Umgebung von

Dampfhammer und Schornstein heraus. In der durch den naiven Charakter ihres Helden ironisch aufgebrochenen Ballade *Der Fundator* demonstriert die Dichterin, wie sich eine bis in die kleinsten Details vertraute Welt in eine völlig fremde Kulisse verwandeln kann, eine Szenerie des Schreckens. Genau wie in *Der Schlosself* fühlt sich der Leser dem schreckhaften alten Diener bzw. dem abergläubischen Bäuerchen überlegen; und doch gelingt es ihm nicht, sich ganz von dem Schauer, den die beschriebenen Phänomene auslösen, zu befreien, sie als bloße Einbildung wegzuschieben. Es tun sich Brüche und Lücken auf im historischen Verlauf und den vertrauten Abläufen, von denen eine viel allgemeinere verunsichernde Wirkung ausgeht als nur im konkreten Beispielfall. Dass solche Brüche und Lücken auch die eigene, individuelle Existenz betreffen, darauf wird in einer Ballade wie *Das Fräulein von Rodenschild* hingewiesen, die den Fall einer mysteriösen Selbstbegegnung schildert. Das Ich stößt auf seine unheimlichen, unbekannten Seiten und erfährt sich als den ganz anderen. Die Alltäglichkeit, mit der das Gedicht endet, hat zeitgenössische Leser bereits verstört, gehört aber genau zum Plan der Autorin: Gerade darin liegt ja das Verstörende solcher Erfahrungen, die eben nicht nur in extremen Ausnahmesituationen, sondern immer und überall zu machen sind.

Auch die thematisch auf Vorgänge aus der Geschichte meist des heimatlichen Westfalens zurückgreifenden Balladen zielen auf solche Lücken: Sie beschreiben den Einbruch des Bösen in eine geordnete Welt, so z. B. in *Der Tod des Erzbischofs Engelbert von Cöln*, wo es um die Ermordung des mächtigen Engelbert im Jahre 1225 durch den von ihm zuvor schwer gedemütigten Friedrich von Isenburg und seine Leute geht. Diese und andere im Zusammenhang mit Levin Schückings Buchprojekt *Das malerische und romantische Westphalen* entstandene Geschichtsballaden wirken heute eher veraltet als die Gruppe der Schauerballaden. Interessant ist der Text zum Fall des Kölner Erzbischofs vor allem deshalb, weil hier das Böse keinen ganz klar fixierten Ort hat. Zwar ist die Schuld des Friedrich von Isenburg unzweifelhaft, aber die Aufzählung der Erniedrigungen, denen er durch seinen Widersacher ausgesetzt war, ebenso wie die unverbrüchliche Treue seiner Frau in der Schlussszene werfen ein eigenartig diffuses Licht auf seine Tat ebenso wie auf Engelberts Verhalten. Die Wiederherstellung der Ordnung durch die weltliche Gerichtsbarkeit erscheint am Ende als brutaler Akt. Um die Wiederherstellung der Ordnung geht es auch in der Ballade *Die Vergeltung*, wo das Fehlurteil der weltlichen Gerichte durch das Eingreifen des Fatums korrigiert wird und die ungerechte sich in eine gerechte Strafe verwandelt. Dieser in seinem aufdringlich moralisierenden Schluss sehr biedermeierlich wirkende Text lässt den Leser dennoch verunsichert zurück durch die implizierte Frage, wie er denn selber in der Situation des Schiffbrüchigen sich wohl verhalten hätte. Schwieriger und differenzierter als in *Die Vergeltung* ist in der Ballade *Die Schwestern* – hierin der Novelle *Die Judenbuche* vergleichbar – die Frage nach der Schuld, ihren gesellschaftlichen und individuellen Ursachen und der Möglichkeit, zu einem gerechten Urteil zu gelangen, formuliert. Auch über diesen Text könnte es, wie im Vorspruch zur *Judenbuche*, in Richtung auf den urteilenden Leser heißen: »Leg hin die Waagschal', nimmer dir erlaubt! / Lass ruhn den Stein – er trifft dein eignes Haupt!«

So zeigen schließlich auch die Balladen die für die Lyrik Annette von Droste-Hülshoffs typische Struktur: Sie verbergen und enthüllen zugleich, sie legen Urteile über Personen und Ereignisse nahe, um sie im selben Augenblick in Zweifel zu ziehen. In dieser Figur wiederholt sich der sehnsüchtige, aber unerfüllbare Wunsch nach einem Einswerden mit der Natur, wie man ihm in der Naturlyrik begegnet, bzw. der nach einer selbstverständlichen Glaubenssicherheit, deren Verlust die Gedichte des *Geistlichen Jahres* vielfältig beklagen. Droste hatte die Schwelle zur Moderne überschritten, dieser Schritt, das war ihr bewusst, war unumkehrbar, auch wenn ihr die neue Welt chaotisch und unordentlich erschien, wenn sie erschrak vor dem unendlichen Verlust, der mit diesem Schritt verbunden war. Dass sie sich selbst und ihre Leser nicht belogen hat über den großen Riss, der durch die Welt ging, dass sie diesen Riss sichtbar gemacht hat in der Sprache ihrer Texte, das macht diese bis heute lesenswert und Droste zu einer Autorin, die uns noch etwas angeht.

Zeittafel

1797 10. Januar: Anna Elisabeth, gen. Annette wird auf dem Wasserschloss Hülshoff bei Münster geboren. Als Frühgeburt hat sie von Anfang an unter gesundheitlichen Problemen zu leiden. Vater: Rittergutsbesitzer Clemens August (1760–1826), Mutter: Therese Louise, geb. von Haxthausen (1772–1853). Geschwister: Maria Anna, gen. Jenny (1795–1859), Werner Konstantin (1798–1867), Ferdinand (1800–1829). Erziehung durch die Mutter und verschiedene Hauslehrer.

1804–1808 Erste lyrische Versuche unter Anleitung der Mutter.

1809 Angebot des Herausgebers Friedrich Raßmann aus Münster zur Mitarbeit an einem poetischen Taschenbuch.

1812–1819 Bekanntschaft mit Anton Matthias Sprickmann (1749–1833), der von Klopstock und dem Göttinger Hainbund geprägt und ein schwärmerischer Stürmer und Dränger ist.

1813 Frühjahr: Beginn der Arbeit an einem Drama *Berta oder Die Alpen*. Daneben lyrische Gedichte.
Sommer: Aufenthalt auf dem Stammsitz der mütterlichen Familie von Haxthausen in Bökendorf im Paderborner Land. Bekanntschaft mit Wilhelm Grimm; sporadische Mitarbeit an dessen Sammlung von Märchen und Liedern.

1815 Herbst: Schwere Erkrankung.

1818 Arbeit an dem spätromantischen Versepos *Walter*.

1818–20 Aufenthalte bei den Paderborner Verwandten in Bökendorf und Abbenburg. Kuraufenthalt in Bad Driburg; Beginn der Arbeit am *Geistlichen Jahr*.

1820 Sommer: Ihre Beziehung zu dem Jurastudenten und Dichter Heinrich Straube (1794–1847) wird durch das Eingreifen eines Onkels beendet.
9. Oktober: Beginn der Reinschrift des ersten Teils des *Geistlichen Jahres*, die im selben Jahr abgeschlossen wird.

1821 Intensives Musikstudium; eine Reihe eigener Kompositionen entsteht. Beginn der Arbeit an der Novelle *Ledwina* (Fragment).

1822–24 Reisen zu den Verwandten im Paderborner Land und im Sauerland.

1825–26 Oktober bis April: Reise nach Köln und Bonn zur dortigen Verwandtschaft. Bekanntschaft mit dem Professorenkreis der neu gegründeten Bonner Universität, u. a. mit August Wilhelm Schlegel. Beginn der Freundschaft mit Sybille Mertens-Schaaffhausen (1797–1857), der kunstsinnigen Frau eines Bonner Bankiers.

1826 25. Juli: Tod des Vaters. Das Stammhaus fällt an den Bruder Werner; die Mutter übersiedelt mit den drei anderen Kindern auf den Witwensitz Rüschhaus bei Münster.

1828 Sommer/Herbst: Reise nach Bonn zu Sybille Mertens.

1829 15. Juni: Tod des Bruders Ferdinand.

1830 Herbst/Winter: Reise nach Bonn; durch Vermittlung von Sybille Mertens Bekanntschaft mit Johanna und Adele Schopenhauer, der Mutter und Schwester des Philosophen, die beide auch Schriftstellerinnen sind.

1831 Februar: Krankenpflege bei Sybille Mertens in Plittersdorf bei Bonn.
Frühjahr: Rückkehr nach Rüschhaus; erstes Zusammentreffen mit Levin Schücking (1814–1883).

1833 Sommer: Reinschrift des Versepos *Das Hospiz auf dem großen St. Bernhard.*

1834 Frühjahr: Der Philosoph und Theologe Christoph Bernhard Schlüter (1801–1884) wird von der Familie als ihr geistiger Mentor ausgewählt; er versucht in der Folge, Droste vor allem zur geistlichen Lyrik zu ermutigen. Durch Schlüter Bekanntschaft mit dem Dichter Wilhelm Junkmann (1811–1886).
Sommer: Reise in die Niederlande (Zutphen, Aerssen).
18. Oktober: Hochzeit der Schwester Jenny mit dem Philologen und Sammler Joseph von Laßberg (1770–1855). Das Paar wohnt am Bodensee, zunächst in Eppishausen auf der Schweizer Seite.
Das Versepos *Des Arztes Vermächtnis* wird abgeschlossen. Plan einer Veröffentlichung der beiden Versepen.

1835–37 Juli bis Februar: Reise zur Schwester nach Eppishausen. Auf der Rückreise Station in Bonn, wo sie erfährt, dass die Pläne zur Veröffentlichung der Epen vorerst gescheitert sind.

1837 11. Dezember: Bekanntschaft mit Elise Rüdiger (1812–1899), der engsten Freundin der folgenden Jahre.

1838 Januar: Abschluss des Versepos *Die Schlacht im Loener Bruch.*

Sommer: Betreut von Schlüter und Junkmann, erscheint der halbanonyme Gedichtband *Gedichte der Annette Elisabeth von D.... H....* im Verlag Aschendorff in Münster. Er enthält neben den drei Versepen einige geistliche Gedichte und wird ein völliger Misserfolg beim Publikum.
Winter: In Münster bildet sich ein literarischer Kreis, dem neben Droste u. a. Schücking, Junkmann und Rüdiger angehören. Insbesondere durch die Beziehung zu Levin Schücking findet Droste in den folgenden Jahren die entscheidenden Anregungen und Ermutigungen für ihr Schreiben.

1839 Sommer: Aufenthalt in Abbenburg; auf Schlüters Drängen hin Arbeit am zweiten Teil des *Geistlichen Jahres.*

1840 Januar: Abschluss des Entwurfsmanuskriptes zum *Geistlichen Jahr.* Enge Beziehung zu Levin Schücking; Beginn der eigentlichen produktiven Zeit Drostes.
Herbst: Balladen für Schückings *Das malerische und romantische Westphalen*; Abschluss des Lustspiels *Perdu!*.

1841 Frühjahr: Sie entwirft einen Plan zu einem umfangreichen Westfalen-Werk, das sich aus unterschiedlichen Teilen und Formen zusammensetzen soll. Mitarbeit an Novellen Schückings.
Sommer: Abschluss der Novelle *Die Judenbuche.* Niederschrift von drei Kapiteln des Fragment gebliebenen *Bei uns zu Lande auf dem Lande*, das zum Westfalen-Komplex gehören sollte.
September: Erste Reise nach Meersburg am Bodensee, wohin die Familie der Schwester inzwischen übersiedelt war; Schücking wird von Josef von Laßberg als Bibliothekar auf der Meersburg angestellt. Im Winter 1841/42 entstehen etwa 60 Gedichte, darunter die *Heidebilder.*

1842 2. April: Schücking verlässt die Meersburg.
ab 22. April: *Die Judenbuche* erscheint in Fortsetzungen in Cottas *Morgenblatt für gebildete Leser.*
13. Juni: Abschluss der Arbeit an den *Westphälischen Schilderungen.*
14. August: Rückkehr nach Rüschhaus.

1842/43 Winter: Umfangreiche Rüschhauser Lyrikproduktion.

1843 Sommer: Aufenthalt in Abbenburg; Schücking heiratet Louise von Gall. In der Folge kommt es zu einer wachsenden Entfremdung zwischen Droste und Schücking.

September: Zweite Meersburger Reise; diesmal entstehen rund 20 Gedichte. Vorbereitung der Gedichtausgabe im Cotta-Verlag.
12. Oktober: Ankauf des »Fürstenhäusles« in Meersburg mit dem zugehörigen Weinberg im Vorgriff auf das Honorar für den zweiten Gedichtband.

1844 17. Januar: Absenden des Manuskripts für die Gedichtausgabe in Zusammenarbeit mit Levin Schücking.
17. April: Schücking erhält sechs Gedichte, die nicht im Manuskript der Ausgabe enthalten waren, zur Publikation.
Mai: Das Ehepaar Schücking zu Besuch auf der Meersburg.
28. September: Rückreise nach Rüschhaus.
Herbst: Erscheinen der *Gedichte* bei Cotta; Beginn der Arbeit an der Novelle *Josef* (Fragment).
November/Dezember: In der *Kölnischen Zeitung*, bei der Schücking als Redakteur arbeitet, erscheinen mehrere Gedichte.

1845 23. Februar: Tod der Amme Drostes, die in Rüschhaus lebte.
Sommer/Herbst: Aufenthalt in Abbenburg; die *Westphälischen Schilderungen* erscheinen; es entstehen Gedichte u.a. für die *Kölnische Zeitung*.
25. November: Auf Drängen des Bruders erklärt Droste ihren Verzicht auf weitere Veröffentlichungen in Zeitschriften und Zeitungen.

1846 Frühjahr: Bruch der Beziehung zu Schücking; schwere Erkrankung.
September: Dritte Reise nach Meersburg; Fortdauer der Krankheit.

1847 21. Juli: Abfassung des Testaments.

1848 24. Mai: Tod der Dichterin in Meersburg; Begräbnis auf dem Meersburger Friedhof.

1851 Herausgabe des *Geistlichen Jahres* durch Schlüter und Junkmann.

1869 Schücking gibt *Letzte Gaben* Drostes heraus mit Texten, die nicht in der Gedichtausgabe enthalten sind.

1878/79 *Gesammelte Schriften*, herausgegeben von Schücking.

Verzeichnis der Gedichtüberschriften und -anfänge

Als jüngst die Nacht dem sonnenmüden Land 54
Am Bodensee 56
Am dritten Sonntage nach Ostern 136
Am ersten Sonntage nach h. drei Könige 132
Am fünften Sonntage in der Fasten 134
Am letzten Tage des Jahres (Silvester) 142
Am Pfingstmontage 138
Am sechsundzwanzigsten Sonntage nach Pfingsten 140
Am Turme 51
An *** 62
An des Balkones Gitter lehnte ich 116
An die Weltverbesserer 13
An einen Freund 126
Auf der Burg haus ich am Berge 58

Da gab es doch ein Sehnen 11
Das alte Schloss 58
Das Fräulein von Rodenschild 87
Das Haus in der Heide 47
Das Hirtenfeuer 42
Das Jahr geht um 142
Das öde Haus 52
Das Spiegelbild 65
Das Wort gleicht dem beschwingten Pfeil 130
Der Anger dampft, es kocht die Ruhr 67
Der Dichter – Dichters Glück 123
Der Fundator 72
Der Graue 80
Der Heidemann 45
Der Hünenstein 30
Der Kapitän steht an der Spiere 97
Der Knabe im Moor 49
Der Schlosself 101
Der Tod des Erzbischofs Engelbert von Cöln 67
Der Weiher 27

Die ihr beim fetten Mahle lacht 123
Die Jagd 18
Die Krähen 37
Die Lerche 16
Die Luft hat schlafen sich gelegt 18
Die Mergelgrube 33
Die Propheten sind begraben! 134
Die Schulen 14
Die Schwestern 90
Die Steppe 32
Die Taxuswand 63
Die Unbesungenen 65
Die Vergeltung 97
Die Vogelhütte 22
Du, der ein Blatt von dieser schwachen Hand 130
Dunkel, dunkel im Moor 42
Durchwachte Nacht 113

Er liegt so still im Morgenlicht 27

Geht, Kinder, nicht zu weit ins Bruch 45
Gemüt 117
Grün ist die Flur, der Himmel blau 117
Grüße 110

Halt fest den Freund, den einmal du erworben 125
Halt fest! 125
Heiß, heiß der Sonnenbrand 37
Hörst du der Nacht gespornten Wächter nicht? 16

Ich seh dich nicht! 136
Ich steh auf hohem Balkone am Turm 51
Ich stehe gern vor dir 63
Im Grase 111
Im Moose 54
Im Walde steht die kleine Burg 80
Im Westen schwimmt ein falber Strich 72
In monderhellten Weihers Glanz 101
Ist es der Glaube nur, dem du verheißen 138

Kein Wort, und wär' es scharf wie Stahles Klinge 62
Kennst du den Saal? ich schleiche sacht vorbei 14
Kennst du die Blassen im Heideland 76

Lebt wohl 109
Lebt wohl, es kann nicht anders sein! 109

Mein Beruf 60
Mondesaufgang 116

O schaurig ist's übers Moor zu gehen 49

Pochest du an – poch nicht zu laut 13

Regen, Regen, immer Regen! 22

Sacht pocht der Käfer im morschen Schrein 90
Schaust du mich an aus dem Kristall 65
's gibt Gräber wo die Klage schweigt 65
Sind denn so schwül die Nächt' im April? 87
Spätes Erwachen 107
Standest du je am Strande 32
Steht nicht der Gräuel der Verwüstung da 140
Steigt mir in diesem fremden Lande 110
Stoß deinen Scheit drei Spannen in den Sand 33
Süße Ruh', süßer Taumel im Gras 111

Tiefab im Tobel liegt ein Haus 52

Über Gelände, matt gedehnt 56
Und sieh ich habe dich gesucht mit Schmerzen 132

Vor vierzig Jahren 11
Vorgeschichte (Second sight) 76

Was meinem Kreise mich enttrieb 60
Wie lauscht, vom Abendschein umzuckt 47
Wie sank die Sonne glüh und schwer! 113
Wie sind meine Finger so grün 129
Wie war mein Dasein abgeschlossen 107

Zum zweiten Male will ein Wort 126
Zur Zeit der Scheide zwischen Nacht und Tag 30

Romane der deutschen Literatur

IN RECLAMS UNIVERSAL-BIBLIOTHEK

Ebner-Eschenbach, Das Gemeindekind. 222 S. UB 8056

Eichendorff, Ahnung und Gegenwart. 405 S. UB 8229

Fontane, Cécile. 277 S. UB 7791 – Effi Briest. 349 S. UB 6961 – Frau Jenny Treibel. 225 S. UB 7635 – Graf Petöfy. 247 S. UB 8606 – Irrungen, Wirrungen. 184 S. UB 8971 – Mathilde Möhring. 141 S. UB 9487 – Die Poggenpuhls. 126 S. UB 8327 – Schach von Wuthenow. 168 S. UB 7688 – Der Stechlin. 518 S. UB 9910 – Stine. 124 S. UB 7693 – Unwiederbringlich. 309 S. UB 9320

Gellert, Leben der schwedischen Gräfin G***. 176 S. UB 8536

Goethe, Aus meinem Leben. Dichtung und Wahrheit. Bd. 1. 843 S. UB 8718, Bd. 2. 423 S. UB 8719 – Die Leiden des jungen Werther. 164 S. UB 67 – Die Wahlverwandtschaften. 269 S. UB 7835 – Wilhelm Meisters Lehrjahre. 661 S. UB 7826 – Wilhelm Meisters theatralische Sendung. 389 S. UB 8343 – Wilhelm Meisters Wanderjahre. 565 S. UB 7827

Grimmelshausen, Der abenteuerliche Simplicissimus Teutsch. 838 S. UB 761

Gutzkow, Wally, die Zweiflerin. 477 S. UB 9904

Hauff, Lichtenstein. 453 S. UB 85

Heinse, Ardinghello und die glücklichen Inseln. 715 S. 32 Taf. UB 9792

Hölderlin, Hyperion. 184 S. UB 559

Hoffmann, Die Elixiere des Teufels. 376 S. UB 192 – Lebens-Ansichten des Katers Murr. 517 S. UB 153 – Meister Floh. 235 S. UB 365

Jean Paul, Leben des Quintus Fixlein. 328 S. UB 164 – Siebenkäs. 800 S. UB 274

Keller, Der grüne Heinrich. 955 S. UB 18282

La Roche, Geschichte des Fräuleins von Sternheim. 416 S. UB 7934

Ludwig, Zwischen Himmel und Erde. 219 S. UB 3494

Meyer, Jürg Jenatsch. 288 S. UB 6964

Moritz, Andreas Hartknopf. 284 S. UB 18120 – Anton Reiser. 568 S. UB 4813

Novalis, Heinrich von Ofterdingen. 255 S. UB 8939

Joseph von Eichendorff

IN RECLAMS UNIVERSAL-BIBLIOTHEK

Ahnung und Gegenwart. Roman. Hrsg. von Gerhart Hoffmeister. 405 S. UB 8229

Aus dem Leben eines Taugenichts. Novelle. Hrsg. von Hartwig Schultz. 127 S. UB 2354 – dazu *Erläuterungen und Dokumente.* Von Hartwig Schultz. 120 S. UB 8198

Gedichte. Hrsg. von Peter Horst Neumann in Zusammenarbeit mit Andreas Lorenczuk. 214 S. UB 7925

Das Marmorbild. Das Schloß Dürande. Novellen. 94 S. UB 2365 – zu: Marmorbild *Erläuterungen und Dokumente.* Von Hanna H. Marks. 94 S. UB 8167

Sämtliche Erzählungen. Hrsg. von Hartwig Schultz. 654 S. UB 2352

»Frühling mit Nachtigallen und anderem Zubehör«. Eichendorff zum Vergnügen. Hrsg. von Martin und Ulrike Hollender. 149 S. UB 9670

Philipp Reclam jun. Stuttgart